W INNYCH W

Joanna M. Filatowicz

Korekta i edycja: Anna Karahan
Projekt okładki: Glenn T. Randolph
Projekt graficzny tytułu okładki: Drey Gibson
Wydawnictwo: Joanna Piłatowicz
ISBN: 9798215293737

Spis treści:

POCIĄGI

Te pociągi nie miały rozkładu jazdy. Nikt nie podawał ani godziny przyjazdu ani odjazdu. Pojawiały się niespodziewanie na różnych peronach, różnych miast i krain, czasem nawet się nie zatrzymywały, aczkolwiek zwalniały na tyle, że można było jeszcze do nich wskoczyć. Jeśli już się zatrzymywały, nie wiadomo było jak długo potrwa postój. Zazwyczaj nie było też jasne dokąd jadą, chociaż kierunku można było się domyślać, szczególnie jeśli ktoś miał dar przewidywania.

Te pociągi przez jednych były poszukiwane z nadzieją, desperacją, pożądaniem, a dla innych były normalnością i codziennością. Byli też tacy, którzy w ogóle nie mieli pojęcia o ich istnieniu.

Dla tych, którzy korzystali z nieprzewidywalnych pociągów, jasne było, że transport pojawi się i będzie zmierzał w pożądanym kierunku. Po prostu myśleli, że zamawiają podróż, a zatem nic prostszego niż iść na peron i poczekać.

Liliana siedziała właśnie w jednym z takich pociągów dyskretnie obserwując pasażerów. Można powiedzieć, że trafiła tu celowo i przypadkiem zarazem. Od dwudziestu lat próbowała złapać jeden z tych pociągów, o których tyle słyszała. Zwyczajne pociągi jej nie interesowały. Specjalnie badała grupę osób, dla których takie pociągi były naturalnością. Sama zamówiła taki pociąg w myślach, a potem czekała na peronie cierpliwie, ale on jakoś się nie pojawiał. Zaczęły mijać lata i odechciało jej się czekać. Zrezygnowała zatem, chociaż często z tęsknotą spoglądała w kierunku peronów. Niestety, w tej okolicy żaden wymarzony pociąg nie przejeżdżał od lat, albo ona na niego nie trafiła. Zmieniała zatem otoczenie co jakiś czas, przemieszczając się zwyczajnymi pociągami. Czas jednak mijał. Cóż to za życie, takie wyczekiwanie i powracanie do swoich obowiązków. - Na co ty czekasz, zrób coś - bliscy zwyczajnie się niepokoili. - To jakaś bujda z tymi pociągami, odpuść sobie. Przecież są też tacy, którzy nigdy nie podróżowali i jakoś żyją.

Właśnie, rozmyślała Liliana, jakoś... żyją, i to „jakoś" jej nie przekonywało.

Kiedy jeszcze kilka minut temu przechodziła obok stacji, ktoś ją zatrzymał.

- Przepraszam, czy może nam pani pokazać drogę na peron? - Liliana zobaczyła dwie kobiety z tobołkami.

- Tu nie ma ruchomych schodów - powiedziała Liliana nieco zrezygnowana. - Pomogę wam - podniosła jedną z toreb. - To blisko. A który peron i dokąd?

- No właśnie nie mamy rozkładu jazdy - powiedziała starsza.

- Tak, zgubiłyśmy - młodsza jakby się tłumaczyła.

Kobiety szły za Lilianą po schodach. Wkrótce stanęły na peronie. Pociąg wydawał się spokojnie czekać na pasażerów.

- Tego pociągu nie ma w rozkładzie - powiedziała Liliana. - Bardzo ładny, wygląda ekskluzywnie. No to szerokiej drogi - wstawiła walizkę, a kobiety podziękowały.

Liliana już ruszyła do wyjścia, kiedy nagle zatrzymała się i nieco uważniej popatrzyła na pociąg. Poczuła, że ten właśnie zmierza tam, dokąd i ona zmierzała. Niewiele myśląc, Liliana została w pociągu.

Kroczyła korytarzami, czując coraz większą lekkość, radość, swobodę, tak, jakby nagle budziła się z zimowego, bardzo długiego i beznadziejnego snu. Znalazła sobie bardzo wygodne miejsce przy oknie z widokiem na całe wnętrze wagonu. Miejsca były dziwnie porozmieszczane, oryginalnie, trochę tu, trochę tam, po dwa, po trzy i po jednym, albo kilka naokoło stolika. Pasażerowie jeszcze się schodzili. Nie było ich wielu. Tutaj nie było tłoku.

Liliana dostrzegła przed sobą parę wyglądającą na szczęśliwie zakochanych. Co jakiś czas głośno się śmiali.

Jakiś mężczyzna wszedł zdecydowanym krokiem, rozsiadł się na dwóch miejscach i zaczął czytać gazetę.

- Gdzie moja kawa? - rozejrzał się po chwili z miną niezadowolenia.

- Nie rozumiem dlaczego mam tyle czekać? Co to znaczy? - mężczyzna irytował się i nerwowo potrząsał kolanem.

Inna pasażerka siedziała w samym kącie wagonu tak, jakby wręcz chciała się wcisnąć i pozostać niezauważoną. Liliana pomyślała, że może ta kobieta wcale nie chciała jechać i boi się, zatem czemu wsiadła?

- Przepraszam, dokąd ten pociąg jedzie? - kolejny pasażer właśnie dotarł do przedziału. - Ledwo zdążyłem, ale i tak wydaje mi się, że pomyliłem kierunki.

- Na pewno jedzie w góry - odezwała się Liliana, do której po chwili dotarło, że przecież sama nie wie dokąd, ale jest pewna, że w góry i już.

- A skąd pani wie? - wtrącił się nagle zirytowany mężczyzna oczekujący na kawę.

- Nie wiem, ale wiem.

- Ha, ha, pani jest nielogiczna.

Liliana wzruszyła ramionami.

- A zresztą nieważne dokąd - mężczyzna z gazetą mówił pewnym głosem. - Ważne, że jedziemy i zamierzam dobrze się bawić. Zaraz podadzą jedzenie i picie - wyjął cygaro.

- Chyba nie zamierza pan tu palić - zaprotestowała Liliana.

- A co, wyrzucicie mnie? - mężczyzna wstał, sam być może dostrzegając, że wagon jest dla niepalących, na co wskazywała naklejka przekreślonego papierosa. - W porządku - wyszedł.

Liliana nie mogła się doczekać kiedy ten pociąg ruszy. Pasażerowie nadal się schodzili. Skąd oni wiedzieli, że to tutaj? Może oni tak przypadkiem? Może pomylili pociągi i będą potem rozczarowani? Tak naprawdę nie miała pojęcia dokąd te pociągi jadą, miała tylko przeczucie, że tam, gdzie ona chciała by być. Tylko gdzie by to było?

Nagle niespodziewanie, w biegu, do wagonu wpadła kobieta rozmawiająca przez telefon.

- ....Przepraszam - tłumaczyła się do słuchawki - bo ja jak czasami mówię do kogoś pieszczotliwie, to mówię: ty świnio... nie myśl sobie, że się upaliłam trawą. Po prostu mam dobry humor, bo jest wiosna i jestem zakochana. Generalnie wszystko ze mną w porządku. Wyglądam świetnie, jak miss sporty. Wszystkie portki ze mnie spadają.

Kobieta usiadła tuż przy Lilianie.

- Mogę? - Liliana przerwała jej rozmowę, bo właśnie zauważyła, że ta trzyma przy sobie interesujące kobiece pismo.

- Tak - odparła tamta. - Co? A jakie było pytanie?

- Gazetę mogę na chwilę?

- A to, tak - kobieta wróciła do rozmowy. - Ja mam dopiero trzydzieści dwa lata, a tu wyrok... spadł tak niespodziewanie... „Ma pani guza w piersi i trzeba będzie operować". Tak mi powiedzieli, to ja na to: „No wie pan co, a to mnie pan zaskoczył". To prawda, że miałam chodzić na badania częściej, ale naprawdę nie miałam czasu. Do pracy wychodzę rano, wracam zawsze późnym wieczorem, a i tak nie wszystko zrobię. I teraz ten guz, tak szybko? Może za dziesięć lat, ale teraz? Ja nie mam kiedy, ja muszę pracować - całkiem spontanicznie powiedziała, jakby to miało ją uchronić przed operacją.

Liliana przysłuchiwała się rozmowie. Porównywała swój spokój z żywiołowością kobiety, na pewno chociaż w słowach. Cóż to za pracowita osoba, rozmyślała. Znała takich pracowników, co to z wytrzymałością godną maratończyka pracowali przy komputerze przez kilka godzin bez przerwy. Czas mijał szybko. Z dni tworzyły się tygodnie, miesiące, lata. Ona to już znała i wiedziała jak będzie, z nią i z innymi. Stąd ta nadzieja, że pojawi się... pociąg. Czy ta kobieta w ogóle wie dokąd on jedzie? Słuchała jej dalej.

- No może trochę przesadzam z tą pracą - wnioskowała szukając przyczyny choroby. - Właściwie to prawie nie sypiam - analizowała. - No, ale może dwie godziny snu mi wystarcza. No dobrze, zapominam jeść. Przecież to się zdarza nie tylko mnie. Nie mam teraz czasu na takie numery. Do tego się zakochałam... Co? Poczekaj, wezmę cię na głośny, bo mi rąk tu nie starcza, muszę sprawdzić grafik i rozkład jazdy...

- Nie, na głośny to może nie... - rozmówca już był słyszalny wokół, ale nic więcej Liliana się nie dowiedziała, bo ktoś, kto nie wiadomo kiedy niezauważalnie dla niej pojawił się w wagonie, wychylił się zza swojego miejsca i prawie krzyknął:

- Te... panna ciszej może? Co pani tu teatr robi?

- Panie! Mnie to już teraz wszystko wolno, jak pan nie chce słuchać, to niech się pan zamknie. Raka mam, tak? To mi już wszystko jedno!

- ostatnie słowa wypowiedziała z łzami w oczach, uświadamiając sobie nagle, jak bardzo się boi. - Przepraszam bardzo - odwróciła się do Liliany ma pani tabletki na uspokojenie?

Liliana szeroko otworzyła usta zdumiona pytaniem, bo nigdy nie brała tego rodzaju leków.

- Niestety nie, ale mam przeciwbólowe.

- Ja mam na uspokojenie - pasażer, który przed chwilą krzyczał, wstał i pojawił się przed zapłakaną kobietą. - Niech pani weźmie - powiedział już bardziej ze współczuciem. - Piętnaście kropelek. Sam biorę, bo mam nerwicę. A tu mam tabletkę, to jest mocniejsze.

- Da mi pan to mocniejsze? - kobieta wyciągnęła już rękę.

- E, ale to psychotrop jaki. Musi pani przepisowo 0,25 miligrama.

- Życie mi to uratuje, przynajmniej chwilowo - kobieta wydawała się nagle być swobodna na samą myśl o tabletce i całkiem realistycznym jej widoku na dłoni mężczyzny.

- Wodę też mam, pani popije. Woda na nerwy to też dobrze działa.

- Gizela jestem - podała rękę mężczyźnie i Lilianie, prawie równocześnie.

- Liliana.

- Euralian.

Czy to się Lilianie wydawało, czy też rzeczywiście Gizela wpadła w słowotok nie do opanowania? Szczebiocze pogodnie jak słowik, rozmyślała Liliana.

- Ludzie są niereformowalni, ale ja to nie jestem reformowalna w stosunku do nich... tu nie chodzi o zdrowie... wiem, wiem, za dużo mówię, ale posłuchajcie mnie, nikt mnie nie chce słuchać...

- Mów, mów - Liliana zachęcająco skinęła głową. Poczuła sympatię do Gizeli, a ta musiała się wygadać.

- Wreszcie mnie ktoś wysłucha - ucieszyła się Gizela - o Boże, skarpetki mam brudne, ale to nieważne. Ale dokąd ten pociąg jedzie? Służbowo mnie wysłali, dali bilet i mówią bym wsiadła. Czasu nie miałam by sprawdzić, odstawili mnie taksówką na peron, dokładnie pod sam peron podjechała... no mówię wam. Zupełnie, jakby mnie z tej firmy wypychali. Pytam czy mam wolne, ale oni nie, że to praca. Jak praca, to jadę, jak nie, to nie mam czasu na odpoczynek. To dokąd jedziemy? Zaraz... co tu do kur... nędzy na tym bilecie... to jest... patrzcie... tu są jakieś głupoty popisane...

Liliana i Euraliusz spojrzeli na bilet. Oboje przybliżyli się, próbując odgadnąć co tam jest napisane, bo napisane coś było, ale nie w języku, który można było odczytać.

- Wygląda jak arabski, ale arabski to nie jest.

- No to zrobili mnie w konia i jadę na gapę i do tego nie wiem gdzie. Do sanatorium bałwany mnie wysłali!

- Spokojnie, pani się nie denerwuje, tabletka zaraz zacznie działać.

- No jak mam się nie denerwować. Ruszył już, skur...

Pociąg ruszył i owszem, ale Liliana nawet tego nie zauważyła.

- Gdzie jest najbliższa stacja?

- Te pociągi nie mają stacji, one od razu do celu - Liliana uznała, że ta informacja teraz jest na miejscu.

- A gdzie to jest?

- Tak naprawdę to nikt nie wie, ale na pewno jedziemy tam, gdzie chcemy - wyjaśniła Liliana.

- Nie żartuj sobie z niej teraz - Euraliusz popatrzył na Lilianę z prośbą w oczach.

- Haha, niech sobie żartuje, ja nie jestem upośledzona tylko chora. Dobry żart - Gizela się roześmiała. Gdzie jest konduktor?

- Tu nie ma konduktorów - Liliana była poważna.

- Też dobre! No to lepiej, bo ja na gapę.

- Tu wszyscy na gapę.

- No to jesteśmy w domu. Ciekawe ile godzin będziemy jechać.

- Może nawet do kilku lat - Liliana powiedziała to cicho, dość cicho, ale w Gizeli wywołało to kolejną salwę śmiechu. - A, no i stamtąd się zazwyczaj nie wraca, bo i po co, nie ma do czego.

- No dobra, ale tak naprawdę to dokąd jedziesz Euraliusz?

- Ja to muszę się trochę uspokoić. Ja jadę odpocząć. Taki mam zamiar. Dzwonią do mnie ciągle i ciągle coś chcą ode mnie. Ja już mam dosyć. Jadę sam, nawet bez kobiety, bo widzicie nie ma kobiety to może i jest tęsknota, ale jest też i spokój. A ostatnio była kobieta i był niepokój.

- Uciekasz od swojej lubej?

- Jakiej tam lubej? Wystawiła mnie do wiatru.

- No i proszę, mamy złamane serce.

- E tam od razu złamane, co ja się będę męczyć. Nie, to nie. Ale dzwoni do mnie codziennie... - jakby na hasło, jego telefon nagle zadźwięczał. - Przepraszam - Euraliusz odbierał już telefon. - O dziki losie! - niemal krzyknął do aparatu po chwili słuchania wyraźnie głośnego kobiecego głosu. - Aha, taaa, przyniosę flaszkę...

- Patrz, wszystkie kobiety takie same, nie należy przerywać rozgadanej niewieście - Gizela szepnęła do Liliany. Obie z ciekawością słuchały rozmowy.

- Szampan, winko, piwko. Nie ma jak po piwku! Ta, północne wiatry z bronchitem, to stamtąd cię tak męczy. Co za dramat!

Kobiety nic nie mogły z tego zrozumieć, więc wytężyły słuch jeszcze bardziej.

- Ściskam ciał, szał ciał - Euraliusz wyłączył się. - Widzicie? I tak jest codziennie, po kilka razy, dzwonią i gadają, a ja tego mam słuchać, tak? No, kto by to wytrzymał. Ludzie ja już nie mogę! Nie przyjmuję! Nie ma mnie! - prawie krzyczał.

- Ej ty, kochany, może masz biopolar jak ja. Weź sobie kilka kropelek tych, które mi dałeś - Gizela podała stojące opodal krople i zwróciła się do Liliany. - Bo ja też mam biopolar, wiesz?

- Jaki miś polarny? - zapytał Euraliusz.

- Masz, popij sobie.

Przez chwilę wszyscy troje siedzieli w ciszy i wydawałoby się w spokoju.

Aż do momentu gdy weszli kolejni pasażerowie z innych wagonów, szukając więcej miejsca. To musi być rodzina, pomyślała Liliana.

Wszyscy usiedli wokół stołu. Starsze małżeństwo, młodsze małżeństwo i chyba babcia, Liliana zerkała.

Mężczyzna w sile wieku wyjął laptop, a jego małżonka czytała zapewne książkę na tablecie.

- Patrzcie! - powiedział mężczyzna do wszystkich. - Najnowsze wiadomości. Znowu wojna.

- Tak, dzieci się prochem bawią - skomentował młodszy mężczyzna.

- Bójcie się Boga! Co to się na tym świecie dzieje! - dodała starsza pani. - A co ty tak ten komputer jak telewizor używasz? A wiecie, dostałam ostatnio nowy telewizor, ale nie używam. Jakoś nie mogę się zebrać, by stary odstawić.

- Ja też nie lubię gwałtownych zmian. Taki telewizor nowy to poważna rzecz - zgodziła się młoda dziewczyna.

Dłuższą chwilę wszyscy oglądali w milczeniu wiadomości, w końcu dziewczyna powiedziała:

- Babciu powiedz coś.

- Widzisz babciu? Widzisz? Ja mam z nią tak codziennie - małżonek szukał pocieszenia u babci.

- Podaj mi ten kod, bo coś mi się tu zblokowało - kobieta w średnim wieku zwróciła się do małżonka.

- Ja nie pamiętam.

- Jak to nie pamiętasz? Co ty Alzheimera masz?

- Ty stara babo - odgryzł się małżonek.

- No, do młodych się nie zaliczam, więc przykrości mi nie robisz.

- Bo cię zamienię na młodszy model - pogroził.

- A dasz radę temu młodszemu modelowi? - z satysfakcją dopytała małżonka i temat został zmieniony.

- Co wy wszyscy z tymi kodami? Ostatnio włożyłem pieniądze do bankomatu, patrzę, a tam olej napędowy. To dzwonię do Orlenu, a ona chce mój kod pocztowy. Ja nie pamiętam - można powiedzieć, że mąż wrócił do tematu.

- Ty żadnego nie pamiętasz.

- A pamiętam, a ten... - wymienił numer.

- Tam, to mieszkaliśmy dwadzieścia lat temu.

- No to jednak coś pamiętam. A jaki mamy tu kod?

Zadzwonił telefon. Córka usiłowała połączyć się z rodzicami przez Skype.

- Weź na głośny - radziła żona.

- Czemu was nie ma na Skype? - pytała córka.

- Nie ma Skype'a, tata usunął.

- Telefon też wyłączymy, bo za drogo. Będzie można za darmo przez komputer dzwonić - tata dołączył do rozmowy.

- Nie wygłupiaj się, tylko załóż Skype.

- Może na razie nic nie usuwajcie, bo już kompletnie nie będę miała się z wami jak skontaktować.

- Na razie nic nie usuwamy, zaraz tata założy Skype'a.

Liliana starała się nie patrzeć tak zupełnie wprost, więc zerkała to w szybę, to na rodzinę. Tabletki psychotropowe i kropelki okazały się nasenne, bo Gizela i Euraliusz wygodnie sobie już spali, a przynajmniej wyglądali jakby im było wygodnie.

Czy ja na pewno dobrze zrobiłam, że tu wsiadłam? Może ja nie mam wszystkich danych? A może to normalny pociąg? Czy ci ludzie wiedzą dokąd jadą?

- Co pani tam tak sama siedzi? Zapraszamy na lampeczkę czegoś mocniejszego - starszy mężczyzna zwrócił się do Liliany, a ta, wyrwana z własnych myśli, nie miała czasu na reakcje negatywną, więc wstała.

- O dziękuję, a państwo dokąd?

- Jak to dokąd? Ten pociąg to już jedzie tylko na wakacje.

Na wakacje, pomyślała Liliana. Czy ja na pewno chciałam na wakacje? A co jeśli każdy jedzie gdzieś indziej, tylko inaczej to nazywa?

- Na zdrowie. Wiśnióweczka babeczki. Najlepsza.

- O! rzeczywiście bardzo dobra! - pochwaliła Liliana.

- No i takim pociągiem to myśmy w życiu nie jechali. To dopiero! Każdy wagon wygląda inaczej. Konduktora nie ma. Mówili nam, by wsiąść to sobie pomyśleliśmy, że bilet kupimy w pociągu. Spóźniliśmy się trochę, ale poczekał, no to jak poczekał, to wsiedliśmy. Życie jest proste - dokończył mężczyzna filozoficznie. - Tylko ludzie sobie je komplikują, a tu wystarczy wsiąść i już dalej samo jedzie.

- Chce pani kluski? Małżonka robi takie dobre, nadziewane.

- A czym?

- A różnymi rzeczami. Jem i nie zaglądam do środka. Muszę lecytynę przy tym brać.

- Na co?

- Bo mi pamięć siada, nic do głowy nie wchodzi żona mówi bierz, bo zapomnisz kto ja jestem.

Liliana obejrzała się, słysząc otwierające się drzwi między wagonami.

- Chcą państwo kurczaka kupić? - postawna kobieta w chuście na głowie ciągnęła wózek z martwymi kurczakami.

- Pani, te kurczaki to takie małe. Większe nie będą?

- Kurwa nie będą, martwe są, to już nie urosną.

- No to jak, bierzemy? - mężczyzna zwrócił się do małżonki.

- A gdzie ja ci tu kurczaka zrobię? Zwariowałeś już zupełnie.

- Tam na przodzie jest wagon restauracyjny, można robić co się chce. Państwo widzę jeszcze mało widzieli.

- To bierzemy dwa.

- Dwa? Na taką rodzinę? Ja tu nie będę ciągle przechodzić.

- Trzy.

- Trzy... może być.

Liliana obserwowała dobicie targu i kobietę wolno oddalającą się ze swoimi kurczakami do kolejnego wagonu. Czy to możliwe, że wszyscy zmierzamy w tym samym kierunku? Każdy z nas jest kompletnie inny w tym wagonie. Dźwięk telefonu niczym gong przywracający uwagę ku rzeczywistości, wyrwał ją z rozmyślań już nie po raz pierwszy.

- Weź ją na głośny, co ona znowu chce - to musiała być córka, wnioskowała Liliana.

- No co tam nowego?

- A ty już wyrzuciłeś te swoje korki stare? - zwróciła się żona do małżonka - filozofa i jak się teraz okazało miłośnika piłki nożnej.

- Nie, powiesiłem. No wiesz, czasami jest trudno pozwolić odejść temu, co się kocha - filozof był od krok od płaczu.

- Mówisz o korkach? - zdezorientowana córka starała się słuchać. - Możesz mówić głośniej, bo jakoś cię ciszej słychać niż mamę.

- A bo mama to ryczy. To dlatego.

- Aha... a jak w pracy?

- Tyle lat przeżyłem i co? I trafiłem do biura, gdzie siedzę z komunistą! Komunista jeden! No ale co ja mogę zmienić? Jeden próbował i spalił się taki ostatnio na stadionie.

- No, ale po co tak drastycznie?

- Jestem altruistą, ale nie na sto procent. Pomagam i jak na razie to do tyłu na tym wychodzę, ale nie jest tragicznie. Jeszcze pociągnę, ale niedługo, bo stos papierów na biurku mi rośnie. E tam, jedziemy na wakacje. No to co chciałaś? A Skype założyłem właśnie, a cię nie ma.

- A, bo się ukrywam.

- A jak tam ten twój... - mama chciała spytać, ale córka szybko jej przerwała.

- Tylko nie mów imienia, bo tu siedzi, po polsku nie kuma, ale imię zrozumie. Jak ja coś mówię i nie wspominam imion to mam powód. Nikogo to nie rani, a ja mogę się wyrazić lepiej... - czyżby córka się zdenerwowała.

- Nie rozumiem, dlaczego - mama się wtrąciła i znów jakby zamierzała wypowiedzieć imię.

- Nie rozumiesz? - wtrącił się tata do mamy. - Głupia się urodziłaś i głupia umrzesz.

- No pięknie - teraz córka się roześmiała. - Ale sobie dajecie. Lepiej powiedzcie, jak to jest z tą zdradą?

- Wszyscy faceci zdradzają, oprócz tatusia - wtrącił tata.

- To zapytaj go czy lojalny jest w stosunku do córki czy do mnie? - zasugerowała mama.

- Zdradzałeś mamę?

Cisza.

- Jestem dobrym mężem - filozof odezwał się w końcu.

- To nie była odpowiedź wprost.

- Partnerzy nie muszą wszystkiego wiedzieć - teraz dodała mama.

- Nie wychowaliśmy jej dobrze. Ona jest za bardzo prawdomówna - stwierdził tata.

- I co ja mam z tego wnioskować? - córka nie wydawała się zadowolona z ich odpowiedzi.

- Czego oczy nie widzą, tego sercu nie żal - zakończyła mama.

- Tak, to zdecydowanie pomocne - czyżby Liliana słyszała ironię w jej głosie. - No dobra, zadzwonię potem - córka już miała się wyłączyć, ale jakby jej się przypomniało. - A nie! Poczekajcie, babcie dajcie. Gdzie babcia?

- A siedzi tu i na drutach robi. Przeziębiła się trochę.

- Nie gadajcie jej głupot, dobrze jest wszystko - babcia się odezwała zajęta do tej pory swoją robótką.

- A masz leki babciu?
- Mam.
- A bierzesz? - wnuczka jakoś nie dowierzała.
- No.
- A jakie leki masz?
- Nie wiem. Mleko z miodem i sok malinowy. A ty jak? Co robisz?
- Ach, to samo, przygotowuję nową książkę do publikacji.
- To co, teraz będziesz książki pisać?
- Same się piszą.
- Nie męcz się, bo potem po nocach nie dosypiasz tylko piszesz i piszesz. Mama nie dzwoniła długo. Jak przejdzie na emeryturę to zadzwoni, tak myślałam, tylko nie będzie do kogo. Tak to jest.
- No co ty jej wygadujesz? No przecież jedziemy razem na wakacje.
- No to udanej podróży. To gdzie wy właściwie jedziecie?
- Cicho, niespodzianka!
- Dobra, dobra, to zadzwońcie jak dojedziecie - córka wyłączyła się.
- A gdzie jest Szymek? - zapytała małżonka.
- A szlaja się gdzieś po wagonach. Pewnie co załatwia jak zwykle. Szymek to nasz starszy syn - zwrócił się do Liliany. - Powinien tu gdzieś być - rozejrzał się, jakby nagle sobie o nim przypomniał.
- Załatwiłeś tego dentystę przed wyjazdem? Byłeś?
- No, nie byłem. Wysłałem mu smsa, ale się nie odezwał.
- Zobaczysz, zęba stracisz. Trzeba było się zatroszczyć.
- Patrz, jedziemy tyle i myśmy się nawet nie przedstawili - filozof wyciągnął rękę do Liliany.
- Józio jestem.
- Liliana.
- A to moja małżonka szacowna i ukochana: Mirella. I dzieciaki: Pola, to nasza, a syna małżonka przygarnęliśmy, niech ma Serwacy - Liliana podawała ręce wszystkim. - I matula, babcia, dla każdego co innego: Witosława. Szymek zaraz przyjdzie, a córcia druga to pisarka. Ostatnio mi kawał na urodziny zrobili, artykuł napisała, że to ja niby

z Santaną grałem. Dałem kolegom w pracy tę gazetę do poczytania. Oni czytają ten kawałek o Santanie i nagle kolega jakby uwierzył i mówi: „ja to jebie, z Santaną grał!" No wiesz, po czymś takim to głupio prostować. No, a ty na wakacje sama? Ci tam to przysypiają w kącie. - A ci... Poznałam ich tutaj. Mili bardzo, przedstawię, niech no się tylko dobudzą. Koleżankę miałam, fajna była, ale... zmarło się jej - Liliana się zadumała.

- Taa, to większość ludzi czeka, a nawet prawie wszystkich - Józio bardzo szybko ulegał filozoficznym nastrojom. - Jakoś tak mnie morzy, chyba wszyscy się zdrzemniemy.

Po kilku minutach ciszy wszyscy już spali. Stukot pociągu niejako kołysał pasażerów, którzy na szczęście znaleźli wygodne pozycje w tym dziwnym pociągu. Zmorzyło i Lilianę.

&&&

- Drodzy podróżujący! Witamy w naszym pociągu Lepszego Przeznaczenia - głos odezwał się gdzieś z głośników i podziałał jak budzik na śpiących już od dłuższego czasu pasażerów. Liliana rozejrzała się dookoła, dostrzegając malutkie, całkiem artystycznie wykonane głośniki w różnych kolorach, przymocowane u góry niczym kwiaty. Zupełnie nie zwróciła na to wcześniej uwagi. W ogóle nie miała czasu spojrzeć do góry zajęta rozmowami. - Życzymy wszystkim fantastycznej podróży i za chwilę podamy kilka ważniejszych informacji.

Gizela i Euralian też już się wybudzili, zauważając, że właściwie to spali jedno na drugim, zatem dyskretnie się od siebie odsunęli.

- Zapraszamy do nas, do okrągłego stołu na obrady - odezwał się Józio. - Józio jestem - nastąpiła cała procedura wymiany imion, którą znów przerwał głos z głośników.

- Uwaga, zbliżamy się do stacji, której nie ma w grafiku, w tym grafiku oczywiście który nie istnieje - głos się zaśmiał przekonany zapewne, że powiedział dobry żart. - Na stacji Ogryzek co prawda się nie zatrzymujemy, ale znacząco zwalniamy. Przypominam, że nie jest to cel naszej podróży, nie zachęcam do wyskakiwania. W celach rozrywkowych, gorąco zachęcam popatrzeć na lewo, oczywiście dla siedzących w kierunku jazdy. Będziemy mijać pociąg Piekiełko, który tu się zatrzymał. Szczególnie warto przyjrzeć się wagonom: Desperacja, Rozpacz i Niezaspokojenie. Prosimy nie przesiadać się w ramach poszukiwania wrażeń. Dziękuję za uwagę, a jeśli ktoś ma pytania proszę o kontakt przez linię: gwiazdka, 777, wykrzyknik, duże N. Linia działa raz na dzień przez jedną godzinę. Do usłyszenia.

- Że co? Zapisałaś? - Józio zwrócił się do Mirelli.

- Ja zawsze zapisuję, ty wszystko zapominasz. Kiedyś głowy zapomnisz.

- Ale gdzie to dzwonić?

- Może co przy głośnikach będzie? Kto widział słuchawkę?

Wszyscy wstali, jakby nagle głównym celem było znalezienie tajemniczej słuchawki.

- Gdzie jest Szymek?

- Szymka wcięło pewnie gdzie - odpowiedziała Pola. - Ten to się pojawia i znika.

Jakby na to hasło, Szymek postanowił się pojawić. Drzwi się otworzyły i do przedziału wkroczył młody, zadowolony mężczyzna.

Całkiem przystojny, pomyślała Liliana gotowa na kolejną turę prezentacji imion. Czy jej się wydawało, że podczas tej prezentacji stół, okrągły zwyczajny stół nagle się powiększył? Nie, to złudzenie optyczne, nie ma czegoś takiego, upomniała siebie.

- Szymek, nie widziałeś gdzieś słuchawki?

- Po co ci słuchawka? W tych czasach słuchawki to przeżytek.

- Ale mówili, żeby dzwonić.

- Mama, w razie pytań, żeby dzwonić. Masz pytania?

- Zawsze mogę mieć pytania. O której będziemy? I gdzie?

- Gdzie to niespodzianka. I nie o której, tylko kiedy. Mówili w biurze, że to długa podróż.

- My to zawsze na wariackich papierach jeździmy, wszystko na ostatnią chwilę - narzekała Mirella. - Nikt nigdy niegotowy, tylko ja stoję i czekam na wszystkich. - Przygód wam się zachciało, to macie.
- E tam od razu przygód, ale będzie ciekawie. Zawsze wiemy dokąd jedziemy, więc jak raz nie wiemy, to nic się nie stanie.

Całkiem bez ostrzeżenia rozległy się głuche jęki i wszyscy pasażerowie tego przedziału zwrócili swe głowy w stronę okna. Pociąg poruszał się tak wolno, że prawie nie można tego było odczuć. Pierwszy wagon, który mijali okazał się niesamowicie długi i zapełniony tłumem ludzi, którzy ledwo mogli się ruszyć. Zupełnie jakby wszyscy stali w kolejce, nie wiadomo dokąd i po co.

- Drodzy Podróżujący, przypominamy, cokolwiek zobaczycie po lewej stronie, prosimy nie otwierać okien i nie usiłować pomagać w przesiadaniu się do naszego pociągu!
- Ale naładowany, my to mamy luksus. Ale co oni tak jęczą? - Szymek oglądał przez szybę dziwną kolejkę.
- Pchać by się przestali to by nikt nikogo nie uciskał, może chcą do drugiego wagonu się dostać. Ścisk i już. Ja bym wysiadł - Józio zawsze miał rozwiązanie.
- No kończy się - powiedziała Liliana, mając niemiłe wrażenie spowodowane głuchym jękiem, nadal całkiem słyszalnym.

Oczom wszystkich ukazał się następny wagon. Był równie długi co poprzedni. Zajmowało go jednak mniej osób i przez co mieli zdecydowanie więcej miejsca. Był też barek, stoliki, kanapy. Ludzie jednak nie wydawali się wykazywać dobrym humorem. Ich twarze, jakby znieczulone alkoholem i dymem, wykręcone były w grymasie cierpienia. Niektórzy grali w karty. Gdzieś w rogu ktoś kogoś bił, by wrócić zaraz do stołu i rozegrać kolejną partię. Na kanapach nie było par, lecz kilka na wpół rozebranych osób, kompletnie nie zwracających uwagi na otoczenie, oddawało się wątpliwym rozkoszom erotycznym. Czy też Lilianie wydawało się, że widziała strzykawki leżące opodal na stoliku. Nie, nie wydawało się jej, Euraliusz wyraził to na głos:

- No i proszę, w żyłę sobie dają. Jak to przeżyć?
- To nie może dziać się naprawdę, kto by tak robił. To jakiś cyrk.
- Nie cyrk, tylko burdel na kółkach.
- Nie odzywajcie się tak brzydko, nie wypada - rzuciła babcia i nagle przyjrzała się nieco uważniej. Do tej pory raczej bardziej zerkała, zajęta robieniem na drutach. - O mój ty Boże! Co to się porobiło na świecie! O matko przenajświętsza! Bójcie się Boga! To się nie godzi! - babcia podniosła się, by popatrzeć z bliska na to, czego tak się nie godzi.

Kolejny wagon wypełniony był ludźmi w garniturach z komputerami, telefonami. Wszystko wyglądało normalnie, jakby właśnie pracowali, jednak pot na ich czołach i zmęczone oblicza sprawiały wrażenie, że oni po prostu są jakby w transie, nie mogą przestać, nie mogą usiąść. Wyglądało to dość złowieszczo.

Następny wagon był cały pomalowany na biało i obity jakby czymś miękkim. Tutaj ludzie leżeli na podłodze. Większość płakała, inni nieruchomo wpatrywali się w okno. Gizela odruchowo odsunęła się od okna, napotykając wzrok kogoś pusto patrzącego akurat w przestrzeń gdzie ona stała. Ktoś rzucał się na obitą białym materacem ścianę, upadając co jakiś czas na podłogę.

Pasażerowie pociągu Lepszego Przeznaczenia zbiorowo milczeli, patrząc dalej, jakby zaczarowani widokiem. W sumie nie byli świadkami czegoś o czym by nie wiedzieli, że dzieje się na świecie, jednak ten widok, tak bezpardonowy, jeden za drugim i bijąca od nich wręcz smutna aura, mimo, że były za szybą, jakoś mocno wpływały na samopoczucie pasażerów.

Kolejne wagony były mniejsze i siedziały w nich pojedyncze osobie. Otoczenie wypełniał luksus, srebrne zastawy, telewizor, ale każda osoba siedząca w przedziale była tak niesamowicie samotna, że brakowało nie tylko słów, ale też tchu. Jakby nagle nie można było zaczerpnąć powietrza od samego patrzenia na to. Widok rozrywał serce, na szczęście tylko w przenośni.

I znów długi przedział wypełniony biurkami, przy których wydawało się, że pracuje tłum ludzi, a obok inni stojący nadzorujący ich pracę. Jeśli ktoś się ociągał, dostawał pejczem po plecach a z biurka znikał jeden banknot. Ludzie wyglądali jakby pracowali, by dostać tę sumę która korciła, kupka dolarów, euro i innej waluty na każdym biurku. Każdy chciał dostać te pieniądze, więc widać musiał na nie zapracować. To był bardzo, bardzo długi wagon. Ostatnia osoba siedząca przy biurku smutno patrzyła w okno. Nie była karana, bo nie było jej za bardzo widać. Nagle dostrzegła w szybie pasażerów pociągu Lepszego Przeznaczenia.

- Pomóżcie! - nie było to słyszalne, lecz każdy wyczytał treść z ruchu jej warg.

- Nie, no tak nie można - Szymek automatycznie zaczął otwierać okno.

Młoda kobieta smutno się w niego wpatrywała. Nie robiła nic, na twarzy miała jakby wymalowaną rezygnację.

- Szymciu, no coś ty, nie można - odezwała się mama, ale jakoś tak bez przekonania. - Czy tu w ogóle można otworzyć okna?

- Okno! Otwórz! - Szymek dawał znaki kobiecie z drugiego pociągu. Ta jakby się ocknęła na chwilę. Ze strachem rozejrzała się wokół, ale ci z pejczami byli dość daleko, właśnie karali kogoś innego. Wahając się jeszcze, doskoczyła desperacko do okna. Jej ręce się trzęsły, ale całkiem sprawnie okno otworzyło się.

- Dawaj rękę! - Szymek szepnął cicho - głośno. Ratunek odbył się tak szybko, że nikt niczego nie zauważył, nawet reszta pasażerów była w przyjemnym szoku. Euraliusz z Józiem żwawo pomogli i nagle młoda kobieta wylądowała na podłodze.

- Nie potłukła się pani? - Szymek znów wyciągnął rękę.

Nikt nie wiedział, że ucieczka była zauważona, bo i sceneria zmieniła się na kolejny wagon wypełniony kratami niczym w więzieniu. A tam ludzie przykuci dodatkowo kajdanami, nie poruszali się, więc nawet nie wiadomo było czy jeszcze żyli. Pasażerowie pociągu Lepszego

Przeznaczenia jednak nie przypatrywali się już temu, zajęci nową pasażerką. Chyba wszyscy odczuwali coś w rodzaju przyjemnego szoku, było to jak szczęście po tak drastycznych widokach.

- No, witamy - znów odbył się rytuał przedstawiania.

- A ja jestem Melania. Dziękuję ogromnie! Ja nawet nie wiem czy tak można - egzotyczna uroda młodej kobiety teraz miała szansę w pełni dać o sobie znać, gdy rozjaśnił ją uśmiech. - Powiedzieli mi, że muszę spłacać dług za szkołę i taka praca na akord miała mi to umożliwić, ale ja już nie mogę. Pewnie będą konsekwencje. Nie można tak po prostu uciec z pracy. Nie wiem co ja teraz zrobię - nagle posmutniała zaczynając sobie zdawać sprawę z tego co zrobiła. Uciekła. Zwyczajnie się przesiadła!

- To co wraca pani? - zapytał Szymek.

- Nie, nie mogę!

- To dobrze. My na wakacje jedziemy i zapraszamy, no nie? - Szymek zwrócił się do reszty rodziny jakby na potwierdzenie.

- Pewnie. Wakacje to dobra rzecz, można sobie wiele przemyśleć.

- Ja to zawsze chciałam podróżować - rozmarzyła się Melania.

- Zaraz, trzeba to przemyśleć - odezwała się Pola. - Ja, jako prawnik mogę wam powiedzieć, że jak oni mówili, że nie wolno się przesiadać, ratować nikogo, to mogą być konsekwencje. Trzeba ustalić co powiemy. Inaczej mówiąc, trzeba stworzyć wersję na naszą korzyść.

Wszyscy usiedli przy okrągłym stole.

- Jak obrady to nie na pusty żołądek.

- Prowiant nam się kończy. O kurczę pieczone! Kupiliśmy te kurczaki i nawet ich do lodówki nie włożyliśmy.

- No przecież nie mamy tutaj lodówki.

- Trzeba coś z tym zrobić. Co ta kobieta mówiła? Tam kuchnia gdzieś była.

- Nie możemy iść bez ustalenia wersji wydarzeń.

- To szybko, bo ja głody jestem.

- Na początek ustalamy, że ona już z nami jechała wcześniej. Wsiadła z nami, ot co. Resztę się potem wymyśli.

- Może być.

Wszyscy podnieśli się, by szukać kuchni. Myśl o pieczonych kurczakach wyparła myśl o alibi dla nowej pasażerki.

- Na głodnego nic lepszego nie wymyślimy - ten argument jakoś uspokoił wszystkich i wyszli z przedziału.

&&&

Nie musieli długo szukać. Już jeden wagon wstecz jakby na zawołanie był kuchnią.

- Patrzcie! Myślimy i mamy. Jak magia normalnie.

- Magia to nie jest „normalnie".

- Wszystko jedno, ważne, że jest.

- A to można tak swobodnie używać kuchni? - Pola zajrzała do szafki. - Zobaczcie, sztućce! Jakie ładne!

- Lodówkę tu mają! - Mirella z zaciekawieniem zajrzała do środka.

- I do tego ktoś trzyma tu jedzenie. Hmmm, myślicie, że można skorzystać?

- Jak nie weźmiemy za dużo, to może nie zauważą? Zresztą zapłacimy.

- No właśnie, zapłacimy albo wynagrodzimy właściciela na miejscu. Albo zaprosimy na poczęstunek. Wszystko jedno. Pomyślimy potem.

Każdy zabrał się za przygotowania, no może nie każdy, część usiadła przy ogromnym stole. Wszyscy do kuchenki dostępu nie mieli.

- Józek, nie kręć mi się tu pod nogami. Usiądź sobie, co? - Mirella jakby naturalnie zwolniła go od pomocy.

Liliana z Gizelą zaczęły obierać ziemniaki znalezione gdzieś tam w szafce siadając obok Józia, który zadowolony usiadł już przy oknie obok Euraliusza.

Gizela zwróciła się do Liliany.

- Tak sobie myślę, że te wszystkie ostatnie wydarzenia są jakieś nieprawdopodobne. Najpierw ten rak, a teraz jestem zupełnie zadowolona, że jadę być może na wakacje. Może dobrze będzie. Ale tak się zastanawiam. Jaki jest sens życia? - Co? - Euraliusz chętnie pochwycił pytania a Józio też się zainteresował. - Karma - Euraliusz powiedział krótko. - Taki żywot. Ludki przychodzą i spłacają karmę.

- Hmmm, to trochę smutne - powiedziała Liliana. - I niby po co? I potem co?

- Potem mniej karmy. Potem lżej jest.

- Nawet jeśli, to potem co? - brnęła dalej Liliana.

Nastała chwila ciszy, jakby nikt nie wiedział co powiedzieć.

- Jak to co? - Euraliusz myślał na głos. - To tak w ramach rozwoju.

- Rozwoju czego?

- No duszy! To oczywiste.

- Wcale nie takie oczywiste.

- Po co od razu karma i dusza i potem. Nie wystarczy się zająć tym co jest teraz? - wtrącił się Józio. - Co ja będę myślał o wszechświecie jak ja tu mam rodzinę, trójkę dzieci, jedno mi za mąż wyszło. Jest co robić.

- Najważniejsze zdrowie - odezwała się Gizela.

- Godność osobista zaraz potem - dodała Liliana.

- Kasa też - dorzuciła Melania.

- No to uporządkujmy to: zdrowie, godność i kasa. A szczęście? Spełnienie? - dodawał Józio. Czy głodny myśli jak godnie się najeść? Czy chory myśli jak godnie się wyleczyć? Priorytety się zmieniają.

- Od siedzenia zmienia się punkt widzenia, zdrowy chce kasy, bogaty chce czasu wolnego i tak dalej. W tym miesiącu to, w innym tamto - dokończyła Mirella.

- No i od świadomości, od doświadczenia zależy co się chce.

- Ale cudnie pachnie! Dla nas to na razie najważniejszy ten kurczak. Żołądek mi się zaciska - powiedział Szymek.

&&&

Drzwi przedziału kuchennego otworzyły się powoli i wkroczył starszy mężczyzna, nieśmiało się uśmiechając.

- Dzień dobry, można?
- A można, zapraszamy. Kurczaczka może? Jeszcze nam zostało - zachęcał Józio, podając talerzyk. - Józio jestem - i znów procedura przedstawienia odbyła się sprawnie i szybko.
- Miło mi, Dobrodziej jestem. Może słyszeliście o tym incydencie? Ktoś otworzył okno, ktoś z pociągu Piekiełko wszedł przez to okno.
- My nic nie wiemy - powiedziała Pola dość odruchowo, prawdopodobnie jako jedyna zajęta w myślach, faktem co by tu powiedzieć w razie pytań. Reszta rodziny zajęta była kurczakami.
- No, ciekawe kto się odważył - mówił Dobrodziej. - To było dość niebezpieczne. Mogło wszystkich w przedziale wessać do pociągu obok.
- Co też? - Witosława popatrzyła ze zgrozą, mając jeszcze żywo w pamięci widoki z mijanego pociągu. - Naprawdę?
- Ależ tak, jakby to powiedzieć, atmosfera mijanego pociągu była dosyć... no... zaraźliwa. Stąd te ostrzeżenia. Na szczęście nic się chyba nie stało. Mówią tylko, że ktoś jednak przedostał się do nas. Wiecie coś o tym? - Dobrodziej popatrzył po twarzach podróżnych.
- O czym? - Pola znów odruchowo zapytała.
- No o tym dodatkowym podróżnym.
Melania skierowała wzrok w stronę ziemniaczków i na wszelki wypadek napełniła nimi usta.
- My to nic...
- Nic nie wiemy - kilka osób odezwało się jedno po drugim. Wersja wydarzeń zatem wytworzyła się sama i już nic nie trzeba było uzgadniać. Wypadałoby teraz zapewne trzymać się wersji wydarzeń, która tak naturalnie została przedstawiona.
- Pewnie będzie dochodzenie - powiedział Dobrodziej. - No i oczywiście mnie musieli wysłać, by popytać dobrych ludzi.
- Dobrodzieju, może naleweczki wiśniowej? - zareagowała Witosława z uśmiechem. - Polej dziecko, zwróciła się do Serwacego.
- Najlepsza babcina naleweczka - Serwacy już się tym zajął.

- Ach, dziękuję, tak miło z waszej strony. Już niedługo będziemy na miejscu, ale naleweczka nie zaszkodzi. To nic zupełnie nie widzieliście?

- Ależ Dobrodzieju, my jesteśmy jak te trzy małpki: nie widzieliśmy i nic nie słyszeliśmy.

- To i pewnie nie powiecie - dokończył Dobrodziej.

Wszyscy bardzo zgodnie uśmiechnęli się.

- Nie wiedzieliśmy, że tu też jest policja.

- Policja? Nie, policja to nie. Tu jej nie potrzeba. Ja jestem z tak zwanych Sił Sprawczych. Dbamy głównie o harmonię.

- Ach tak, a jak znajdą tego pasażera, to co zrobią te Siły Sprawcze?

- zainteresowała się Melania, nabierając powoli odwagi, gdyż dziadek wyglądał rzeczywiście dobrodusznie.

- Ach nic, popytają o motywy, jak to się stało i zdecydują co dalej.

- A co dalej?

- To zależy od intencji podróżującego.

- Wyrzucą go?

- Nie, raczej, nie. Pogratulują mu, bo wyraźnie się udało. No wiecie, to jakby uratowana dusza, jedna więcej. To się liczy.

- A jak kto pomógł mu, to medal dostanie? - zażartował Euraliusz.

- Nie, medale to przeżytek. Na co komu kawałek metalu. Lepsze przeznaczenie, to jest to, co się liczy - odpowiedział Dobrodziej.

- Aha... - nikt jakoś chwilowo nie powiedział nic więcej. Każdemu przez myśl przemknęło: to jakiś podstęp pewnie. Lepiej nic nie mówić. Po chwili jednak myśli zaczęły się wymieniać na: trochę głupio tak kłamać. Kto to widział, by za prawdę nagradzać. Zazwyczaj jest odwrotnie.

- Bardzo mi tu z wami miło, ale będę musiał jeszcze trochę popracować nad tą sprawą. Mam nadzieję, że się uda ją rozwiązać do przyjazdu. To już wszakże niedługo.

- A kiedy? - zapytała Mirella.

- Pewnie już na dniach to będzie.

- O! To my zupełnie nie jesteśmy przygotowani z prowiantem - Mirella się zmartwiła. - I tak zjedliśmy czyjeś ziemniaki. Może Dobrodziej wie komu jesteśmy winni za ziemniaczki. - A nie, one po to tu są. Inaczej by się zmarnowały. Starczy dla wszystkich. Wszystko jest zaplanowane prze Siłę Sprawczą. A zwiedzaliście inne wagony? - Nie. Tylko jeden, tylko ten właściwie. - Och, to gorąco polecam! Salon odnowy, mamy nawet saunę, a kąpiele w solach i algach morskich są cudowne. Zamiast do kuchni, można też do restauracji i na koncert. Można wszędzie. Ktoś może gra na instrumencie? Mamy gitary, pianina, perkusję. Jest co robić, by podróż była wysoce przyjemna i inspirująca. Kino domowe, trzy wagony dalej. Jest oczywiście wagon sypialny, bardzo, bardzo wygodny z podwójnymi łożami, nawet małżeńskimi. - No sami zwiedźcie, ja już będę szedł dalej - Dobrodziej wstał żegnając się. - Hmmm to dziwne, już wszystkich pasażerów przepytałem w tej sprawie i wiecie, nikt nic nie wie. A to może oznaczać tylko jedno.

- ? - Pola spojrzała bardzo wymownie, a pytanie było wręcz wymalowane na jej twarzy.

- Ach, to znaczy, że ktoś kłamie.

- A jaka kara jest za kłamstwo? - zapytała Pola przytomnie.

- Kara? Nie, no kary to nie ma. Jak można karać kłamstwo, które pierwotnie ma chronić uratowaną osobę? Nie uważacie, że to by było szaleństwo? To pociąg Lepszego Przeznaczenia. W Piekiełku, to co innego. Tam tak. No, wszystkiego dobrego - Dobrodziej ukłonił się, posyłając ostatni uśmiech i to najdłuższe spojrzenie w kierunku Witosławy, która lekko się zarumieniła. Mężczyzna cicho wyszedł, pozostawiając całą grupę w szoku i dezorientacji myślowej. Jak to?

&&&

———— ✣ ————

- TO CO ROBIMY? - ZAPYTAŁ Józio.

- Nie przyznajemy się - Szymek uznał to za właściwe. - To nadal może być podstęp.

- No może.

- A jak nie?

- Jak nie, to nie, nie będziemy ryzykować niepotrzebnie. Nic się nie stanie jak nie dostaniemy nagrody, a tak przynajmniej będzie na pewno bez grzywny.

- Hmmm - myślała Liliana - może czas uwierzyć, że rzeczywistość może być lepsza. Przynajmniej w tym pociągu.

- W tym pociągu to może tak, ale potem stąd wyjdziemy i wtedy co?

- Będzie jeszcze lepiej? - zapytała nie bardzo w to jeszcze sama wierząc.

- Naiwna się znalazła.

- Strzeżonego Pan Bóg strzeże. Nie wyjawiamy sekretu. To jak sekret rodzinny.

Tuż za drzwiami stał Dobrodziej, którego nikt nie dostrzegał. Słyszał każde słowo i lekko się do siebie uśmiechał.

- Och, jak ja kocham ludzi. Gdybyście tylko wiedzieli, że nawet kiedy macie informację o nagrodzie i nadal trzymacie rzeczy w sekrecie, to będzie wam zdecydowanie jeszcze lepiej, bo nie działacie dla poklasku. Ludzie jednak to udane stworzenia boskie. Lubię też Ziemię - dokończył i rozpłynął się w powietrzu.

&&&

W INNYCH WYMIARACH ~ Część I

Rada Najwyższa

Malowniczy krajobraz pełen szczytów i dolin mienił się kolorami w blasku słońca. Siske stała na jednym ze szczytów. Stąd miała dobry widok na całą okolicę. Słońce późnego popołudnia ogrzewało jej nagie, umięśnione, ale drobne plecy. Napinała łuk w skupieniu. Po chwili wypuściła strzałę i śledziła tor jej lotu. W dół. Nie polowała. Nie lubiła zabijać. Bawiło ją samo strzelanie z łuku. Sprawiało przyjemność. Cele obierała różne, ale zazwyczaj były to martwe cele. Odpoczywała. Obiecała sobie, że nie odwiedzi już żadnego świata po to, by zabijać. Dość prymitywne ludy zamieszkiwały Mundand. Argumentem przekonującym była umiejętność walki i ewentualna broń. Mundand był światem wojny. Czemu tak bardzo troszczono się o ten świat, który według Siske nie powinien istnieć?

Nadal w jej pamięci brzmiały słowa Rady Najstarszych. Poprosiła o spotkanie już dawno, a dopiero teraz została wezwana. Tłumaczono jej, że Mundand jest potrzebny, bo utrzymuje wszystkie światy w równowadze. Całość tworzy swoisty konstrukt zawieszony w przestrzeni, gdzie elementy współistnieją w doskonałej formie kuli.

- Co jest osią światów? - zapytała Siske, oglądając obraz konstruktu w pokoju Rady.

- W samym środku jest Ziemia - odparła Lioni zasiadająca w Radzie.

- A Mundand wydaje się dość daleko i poniżej - zauważyła Siske. - Co takiego się stanie jak Mundand zniknie?

- Energie wojny przedostaną się do innych światów. Równowaga zostanie naruszona, a reszty nie sposób przewidzieć.

Siske milczała, nie wiedząc, co powiedzieć. W końcu zdecydowała.

- Nie proście mnie więcej bym się tam udawała. Zabiłam zbyt wielu niewinnych ludzi, których poziom inteligencji nie był wyższy niż kalarepy. Tacy jesteście mądrzy, a wydaje się, że nie znacie bólu, który się zadaje innym. To nie oni byli winni, byli tylko manipulowani.

- Jak sobie życzysz - Rada nie wchodziła w dyskusję.

- Ależ dziecko - przerwała poruszona Lioni - to najlepszy sposób, by się nauczyć i doświadczać. Jak chcesz się inaczej rozwijać?

- Nie sądzisz, że już dość tego rozwijania przez zadawanie śmierci? - pionowa zmarszczka pomiędzy brwiami Siske zdradzała złość. Rada pozostawała niewzruszona.

- Jesteś jeszcze bardzo młoda - Lioni odezwała się po chwili. - Myślałam, że lubisz wyprawy i wyzwania.

- Lubię jak mają sens. A te nie mają. Ile wieków można walczyć wiedząc, że w następnych dziesięcioleciach sytuacja się powtórzy?

- No, no... biorąc pod uwagę, że my dbamy o równowagę przez kolejne ery, nieźle sobie poczynasz - zażartował Miren. - Cóż to są wieki - uśmiechnął się ciepło.

- Dajcie jej spokój - wstawił się Aron. - Ona musi odpocząć.

- Nie, ja więcej nie chcę widzieć tego świata - zaoponowała Siske. - To nie kwestia odpoczynku. To tyle, co chciałam wam powiedzieć - skończyła, odwróciła się, by odejść, chociaż nikt jej nie dał takiego pozwolenia. Za nic miała sobie konwenanse i etykietę. Absolutnie nikt nie będzie jej mówił, co ma robić. Jej rodzice odeszli, nie znała powodu, nikt nie powiedział jej prawdy. Coś przed nią ukrywano. Ostatnia z Rady, Alora smutno spojrzała za odchodzącą Siske.

- Mówiłam, że to się zemści - powiedziała, kiedy dziewczyna opuściła pokój, a ciężkie, metalowe drzwi zatrzasnęły się z hukiem.

- Ukrywamy przed nią jej własną siłę - podchwycił zamyślony Aron.

- Tak nie można.

- No cóż, rzeczą nieludzką jest błądzić - rozbawiony Miren z zainteresowaniem śledził dyskusję.

- Chyba coś ci się pomyliło - wtrąciła Lioni. - Ja w jej wieku nie narzekałam. Lubiłam walczyć. Jej utajona siła może być niebezpieczna nie tylko dla nas, dla światów, ale i dla niej samej. Nie mamy mistrza, który by ją uczył.

- Prędzej czy później jej siła się ujawni - zauważył Aron.

- No właśnie, co wtedy jak poczuje swoją moc? - zapytała Lioni. - A jeśli będzie chciała się mścić?

- Jeśli ta siła się ujawni, może ją zabić. To jest żywioł, potencjał, który trzema umieć kontrolować. A ona nawet nie zdaje sobie sprawy z jego istnienia.

- Na pewno musi coś już dostrzegać - odezwała się Alora.

Siske

Siske obserwowała niebo. Pozwalała ostatnim promieniom słońca oświetlać jej twarz. Rozmyślała. Chciała odejść, ale nie wiedziała dokąd. Odkąd pamiętała, zawsze chętnie ruszała na wyprawy proponowane przez Radę. Zawsze wracała z satysfakcją. To dopiero ostatnio, kiedy wygrywała, zamiast satysfakcji zaczynała odczuwać ból przeciwnika. Wbijając miecz w ciało domniemanego wroga widziała całą historię życia, niepokoje, ważniejsze zdarzenia w życiu danego człowieka. Czuła się potem chora. Ostatnim razem wróciła wycieńczona snami i strachem. Kompletnie nie rozumiała, co się dzieje i czemu ją to tak boli. Zadając rany czuła, że zadaje rany sobie. To nie powinno tak wyglądać.

Jej własne myśli nie dawały jej spokoju. Kim była? Czy ona chciała brać udział w walce? Co ją motywowało przez te wszystkie lata, że tak dobrze walczyła. Nigdy się nie poddawała. Nawet kiedy wydawało się, że umrze gdzieś w obcym świecie, grała do końca swoją rolę i ostatkiem sił, wypatrując właściwego momentu, wbijała miecz przeciwnikowi pewnemu swojej wygranej.

Czego chciała? Czy miała marzenia? Skąd pochodziła? Jakie są jej korzenie? Jaka jest jej rodzina? I gdzie jest jej rodzina? Kim ona jest? Czy potrafi coś jeszcze oprócz zadawania bólu i śmierci? Co zrobi jeśli odmówi udziału w kolejnej wyprawie? Jaki jest sens w tym co robiła? Dokąd ma pójść? To Rada o nią dbała. Teraz została sama. Wyprostowana wciąż stała trwając tak niczym kamień na szczycie góry. Nie odwróciła się nawet, gdy usłyszała za sobą kroki.

- Siske? - usłyszała subtelny i ciepły głos dobiegający zza jej pleców. Już wiedziała kto do niej przyszedł. On nie odwiedzał jej często. Pochodził jeszcze z innego świata, chociaż tuż obok jej świata, nieco powyżej. Świat Sanolo nie był otwarty dla wszystkich. Odwróciła się wolno, a jej oczy zaszkliły się od łez. Złość i frustracja jaką ostatnio odczuwała, natychmiast odeszły.

- Witaj Soulrey - wyszeptała. Jasna poświata bijąca z jego sylwetki oświetlała płomieniście opalone ciało Siske. Dziewczyna zamknęła oczy, ale to nie uchroniło jej przed potokiem spokojnie płynących łez.

- Cokolwiek nie postanowisz, gdziekolwiek nie pójdziesz, pamiętaj, że ja jestem dla ciebie. I jestem blisko. Zawsze możesz mnie zawołać. Rada o mnie nie wie.

- Ja nie wiem dokąd iść - przyznała. - Kim ja jestem? - dopytywała.

- Nie mogę ci powiedzieć, ale mogę ci pokazać jeśli dasz radę zobaczyć - powiedział tajemniczo.

- Pokaż - poprosiła.

- To nie takie proste i muszę cię ostrzec, nie wszystko możesz chcieć zobaczyć.

- Nie szkodzi, pokaż proszę.

- Zamknij oczy, usiądź i powtarzaj za mną - Soulrey rozpoczął pieśń w nieznanym Siske języku.

Siske śpiewała za nim, lecz w pewnym momencie zauważyła:

- Ale przecież ja nic nie rozumiem.

- Nie szkodzi, jak śpiewasz, to rozumiesz.

- Tak, rzeczywiście - przyznała, chociaż wydało jej się to niezwykłe. - Jak śpiewam, to rozumiem - potwierdziła.

Śpiewali cicho razem, a potem ona słuchała jego pieśni. Na jej twarzy pojawiało się wiele odczuć: zdziwienie, zdumienie, uśmiech, zaskoczenie i radość, smutek pomieszany z bólem. Twarz wykrzywiła się w grymasie cierpienia tylko po to, by za chwilę zagościł tam spokój, zrozumienie i pewna zaduma. Siske poczuła ogromną moc przepływającą przez jej ciało, a błogi uśmiech jaki pojawił się na jej twarzy oznaczał zadowolenie. A potem nagły ból wykrzywił jej rysy twarzy i objęła swoje ramiona. Jej powieki zaczęły mrugać coraz szybciej, aż jej własny krzyk przerwał pieśń Soulrey'a.

- Przestań! - okrzyk rozległ się po okolicy, a nagła cisza jaka nastała zbudziła ją z transu w jaki zapadła. Otworzyła oczy i wpatrywała się w spokojnego Soulrey'a.

- To dopiero początek - odezwał się do niej. - Jesteś wszystkim kiedy wybierasz i jesteś niczym kiedy nie wybierasz - zaczął przemawiać, jakby wypowiadał magiczne zaklęcie. - Masz ogromny potencjał i ogromny wybór. Jesteś wszędzie i nie ma cię nigdzie. Decydujesz zawsze i wszędzie. Nie ma nic bez twojej zgody, ale jest cena i konsekwencje za czyny. Każda rzecz ma przyczynę. Każde działanie ma rezultat. Wszystko ma znaczenie. Twoje słowa, twoje spojrzenie, twoja myśl, to wszystko działa, a ty jesteś odpowiedzialna za to, co tworzysz.

Siske wpatrywała się w Soulrey'a jak zaklęta. Zdumiona, zaskoczona i w pewnym szoku powiedziała szczerze.

- Ja już wszystko wiem, wszystko rozumiem.

- Tak ci się teraz może wydawać - roześmiał się Soulrey rozbawiony.

- Ale ja wiem - zdawało się, że chce mu udowodnić. - Ja wiem co chcę. Ja chcę tworzyć. Chcę budować zamiast niszczyć. Chcę, by to co robię miało sens.

- To cudownie - Soulrey wydawał się nadal rozbawiony jej nagłą zmianą postawy. - Pamiętaj, nie zapomnij o mnie. Przed tobą długa podróż.

- Przecież jeszcze nie zdecydowałam dokąd pójdę.

- Myślę, że Rada coś dla ciebie szykuje, ale udawaj, że nic nie wiesz.

- Radę to ja obraziłam. Już pewnie się nie odezwą.

- Wręcz przeciwnie - Soulrey uśmiechnął się tym razem tajemniczo. - Ale to też pomiędzy nami. Reszty nie mogę ci powiedzieć.

- Wszyscy coś przede mną ukrywacie.

- To prawda, ale ja nie jestem upoważniony, by ci o tym powiedzieć.

- Ale wiesz!

- Wiem - przyznał.

- To powiedz - zachęciła nagle kokieteryjnie.

- Nie powiem - odpowiedział tym samym, z takim samym błyskiem kokieterii w oku. - Ale pamiętaj - spoważniał nagle - że cokolwiek stanie się w przyszłości, oni się o ciebie troszczą i ... - zawahał się - obawiają.

- Czego się obawiają? - Siske zmarszczyła czoło.

- Wszystko ma sens, wszystko jest po coś - Soulrey zbliżył się do Siske, położył jej ręce na ramionach i spojrzał uważnie w jej oczy. Światło z jego czoła zagęściło się, a jego blask przemieścił się ku Siske, wpływając delikatnie w punkt pomiędzy jej brwiami. Siske poczuła ogromny spokój, pewność i przypływ sił.

- To mój dar dla ciebie - mówił Soulrey, ciepło się uśmiechając. Wziął jeszcze jej ręce w swoje dłonie, przytrzymał przez dłuższą chwilę, a blask światła tym razem wniknął w środek dłoni Siske. Poczuła radość i przypływ sił witalnych.

- Prawie nikt tego nie zobaczy, ale niejeden poczuje - powiedział wesoło Soulrey. - Ruszaj zatem - pozdrowił ją i po prostu rozpłynął się w powietrzu.

Wysłannik

R ada rozprawiała nad losem Siske.
- Jest na to sposób - Miren wpadł na pewien pomysł. - Jeśli już ma poznać swoją siłę, jest do tego odpowiednie miejsce, gdzie być może nie zrobi sobie krzywdy - pozostałych troje zwróciło się w kierunku Mirena.

- Ziemia - powiedział tajemniczo Miren.

Pukanie do drzwi przerwało rozważania Rady. Drzwi gwałtownie się otworzyły.

Do pokoju wbiegł zdenerwowany mężczyzna.

- Fruit MS Jin - przedstawił się pełnym tytułem. - Przybywam z Ziemi i mam dość niepokojące wieści.

- Młody człowieku - przerwała rozbawiona Alora - czy zdajesz sobie sprawę, że twoje pole auryczne kręci się w jakimś dziwnym kierunku?

- Alora - przerwał Aron. - Jak możesz być tak nietaktowna?

- Zdaję sobie z tego sprawę, niemniej jednak nie przyszedłem tu, by rozmawiać o moim polu aurycznym - obruszył się Fruit MS Jin. - Na Ziemi dzieją się niepokojące rzeczy, z pewnością bardziej godne zainteresowania od mojej skromnej osoby.

- Słusznie - poparła nadal lekko rozbawiona Alora. - Co tam w trawie piszczy? - pozwoliła sobie zażartować.

- Wygląda na to, że Ziemia ulegnie zniszczeniu - niewinnie prawie zaśpiewał Fruit świadom wrażenia jakie wywoła ta informacja.

- Niemożliwe - zaoponowała Liona.

- A jednak - Fruit poczuł się w centrum zainteresowania i zaczął opowiadać o świecie zmierzającym ku własnej samozagładzie dość szybkimi krokami, bo już liczącymi się w latach. Kiedy skończył, Rada długo myślała.

Dumny z siebie Fruit zakończył audiencję i grzecznie się wycofał. Rada nie oponowała. Przybył nowy temat do dyskusji, a decyzje musiały zostać podjęte jak najszybciej.

- I co teraz? - Liona rozłożyła ręce.

- Jak to co? Zawołajcie Siske - Miren wydawał się wiedzieć, co należy zrobić.

- A co ona może? - Alora była zaniepokojona.

- Tego to nie wiemy nawet my - Aron uśmiechnął się tajemniczo.

- Jedna Siske nie poradzi sobie, zwłaszcza, że nie wiadomo co w niej drzemie - Liona była przeciwna.

- Potrzebujemy wielu z nas - Alora wydawała się zamyślona.

- Moi drodzy, zasiedzieliśmy się w wygodzie, pielęgnowaniu wyższych uczuć, nie mamy aż tak wielu wojowników. Z tego, co słyszałam, to tu trzeba specyficznych wojowników. Jesteśmy zbudowani z dość subtelnej materii - Liona dzieliła się swoimi myślami.

- Nie możemy pochopnie podejmować decyzji. Wyślemy tam mnóstwo istot i co? Wrócą z ranami i nic nie zdziałają. Czym oni mają walczyć?

- Może mądrością? - podchwycił Miren. - Z kim? Nadal nic nie wiemy o tym, skąd ta zagłada ma przyjść. Jakiś niekonkretny ten wysłannik był.

- Przecież mówił, że od ludzi idzie.

- Ale których? Wiesz ile tam jest tych ludzi? To się mnoży codziennie, jak dla nas co sekundy, do tego przyciąga coraz to nowsze dusze.

- No coś mówił, że te z niższych światów przedostają się w wyższe. Ziemia jest pomiędzy, to jakby wyżej już niż była.

- Ach ta Ziemia. Wszystkie odpady na Ziemię lecą. Jak ktoś nie pasuje gdzie indziej, to tylko tam go ciągnie.

- Dlatego Ziemia jest taka ciekawa.

- E tam, od razu ciekawa. To wysypisko śmieci, odpadków z innych światów.

- No i azyl. Łatwo się tam ukryć, wśród miliardów nikt cię nie zauważy.

Obrady Rady

S iske weszła do wielkiej Sali Rady, podeszła dość blisko i stanęła nagle, kiedy drzwi głucho za nią trzasnęły. Tym razem chciała wyraźnie widzieć ich oblicza. Chciała poznać prawdę.

- Kim ja jestem? - Siske zadała pytanie z czystej ciekawości, co też Rada jej odpowie. Co nieco już przecież wiedziała.

- Nie o tym chcieliśmy z tobą rozmawiać - odezwał się Aron.

- To ja decyduję o czym chcę rozmawiać, a o czym nie - Siske była nieugięta i coraz bardziej świadoma przynajmniej jednego faktu, z jakiegoś powodu czuła się oszukana.

- Jesteś Siske, pochodzenia nieznanego, rodzice nieznani - tak jak ona traktowała Radę lekko, najwyższy autorytet w świecie Subtel, też lekko i żartobliwie jej odpowiedział. Miren miał tylko nieco więcej ciepła w tonie głosu.

- Czyżby? - nie dała poznać, że te słowa ją zabolały.

- Młoda damo, spuść trochę z tonu, bo inaczej rozmowa z tobą okaże się niemożliwa - Aron zamierzał przywołać Siske do porządku.

Siske wpatrywała się w oczy Arona, ale nie dostrzegła tam nic więcej poza powagą, mądrością i stanowczością. Jego postawa przekonała ją do zmiany swojego nastawienia chociaż na chwilę i dania mu szansy na wytłumaczenie.

- Po prostu uważam, że mam prawo wiedzieć - powiedziała najspokojniej jak potrafiła.

- Troszczymy się o ciebie i dlatego mamy pewną propozycję, która być może pozwoli ci znaleźć odpowiedzi na nurtujące cię pytania - kontynuował Aron.

Siske spojrzała w oczy Arona z zaciekawieniem i iskra nadziei zatliła się gdzieś w zakamarku jej duszy.

- Naprawdę? - zapytała naiwnie.

- Naprawdę. I tym razem nie będziesz musiała zabijać. Spójrz na konstrukt raz jeszcze. My jesteśmy tutaj, nieco powyżej. W samym centrum znajduje się Ziemia. Dość ciężkie energie. Tam króluje materia. My jesteśmy w nieco subtelniejszych rejonach, dlatego wszystko tutaj wydaje się takie piękne - przez słowa Arona przemawiała duma z jego świata. - Wracając do naszej poprzedniej rozmowy o istnieniu światów, wydaje się, że Ziemia ma pewien problem. Dochodzą nas niepokojące słuchy... - Aron próbował odpowiednio dobrać słowa. - Chcielibyśmy cię wysłać na pewnego rodzaju rekonesans.

- Rekonesans w jakiej kwestii? - dopytywała Siske.

- Taki ogólny.

- Dopóki nie traktujecie mnie poważnie, ukrywacie coś przede mną to i ja nie mam ochoty słuchać ogólników - Siske się zezłościła.

- No dobrze - Aron postanowił mówić wprost. - Ziemia może przestać istnieć, wtedy cała równowaga będzie naruszona. Do tego jest to środek światów i prawdę mówiąc nie wiem jakie to będzie miało konsekwencje dla nas wszystkich. Możliwe, że w związku z tym wszystkie światy przestaną istnieć.

- A co ja mam tam niby robić? - Siske nie widziała celu tej wyprawy.

- Nie będziesz tam sama, wyślemy o wiele więcej istot. Sama nie będziesz nic w stanie zdziałać. Szczerze mówiąc nie wiemy jak możemy pomóc i co lub kto jest przeciwnikiem. Jedno jest pewne, nie chodzi o otwartą walkę i zabijanie. Raczej odwrotnie. Dlatego wskazany jest rekonesans, bo sami do końca nie wiemy co się dzieje.

- Jak mam się tam przenieść?

- No i tu jest jeden problem. Jeśli się przeniesiesz tak jak teraz, to nikt cię nawet nie zauważy. Musisz się wcielić.

- Wiecie... Co?! - zdziwiła się Siske.

- Otrzymać ciało.

- Moje mi wystarczy - zaoponowała Siske. - Jestem z niego całkiem zadowolona.

- No tak, ale musi być bardziej widoczne dla Ziemian. Może odwiedź sobie ten świat teraz i poobserwuj. Wybierz sobie państwo, miasto i takie tam. Zresztą sama zdecyduj.

- No dobrze, a jak znajdę odpowiedzi na moje pytania?

- No, poprzez doświadczenie... - Aron zawahał się, a Siske bardzo się to nie podobało. Czuła, że znów chce coś przed nią zataić. Starała się zatem spojrzeć groźnie na Arona.

- Zapewniam cię, że dowiesz się wiele o sobie będąc w ciele materialnym - Aron poważnie spojrzał na Siske i nie dał się zbić z tropu. Czuła, że nie dowie się teraz więcej.

- Czego mam tam szukać i jak się z wami kontaktować? - zapytała.

- No właśnie i tu pojawia się kolejny problem - westchnął Aron - nie będziesz mogła się wprost skontaktować i opuścić Ziemi jeśli się wcielisz.

- To jak mam do was wrócić?

- Będziesz musiała umrzeć.

- Ale ja nigdy nie umierałam. Ja nie chcę umierać.

- To tak na niby - uśmiechnął się Miren. - Nikt nie chce, żebyś umierała. Chodzi o zostawienie ciała kiedy się zużyje - lekko mówił dalej.

Siske wydawała się nie rozumieć.

- Aha - powiedziała jednak, nie chcąc sprawiać wrażenia niedouczonej na temat właściwości światów. Są miejsca, gdzie dowie się więcej w tej kwestii.

- Aron skończ tę farsę - przerwała Alora. - Siske, to nie jest proste wyzwanie. Postudiuj, poobserwuj i daj nam znać. Prawda jest taka, że jak się wcielisz zapomnisz o wszystkim. Zapomnisz o swoim imieniu, o sobie, będziesz poznawała wszystko na nowo. Będziesz czuła się tak jak człowiek. Będziesz musiała sobie wszystko przypomnieć. To nie jest prosta wyprawa - zakończyła.

Dopiero teraz Siske odczuła wyraźne zainteresowanie.

- Poznawać wszystko od początku - zamyśliła się. - Doznawać wrażeń od początku? Doświadczać wszystkiego jakby po raz pierwszy? To musi być bardzo ciekawe.

- I jakże rozwijające - ironicznie wtrącił Miren. - Ja tam nie gustuję w tego typu doznaniach, cała ta tapeta emocjonalna, skomplikowane procesy psychologiczne i wpływy planet na losy ludzi. Coś tam z kosmosu manipuluje nimi czy jak...

- Miren, nie czytałeś dokładnie - wtrąciła Liona - to jest wiedza prawie naukowa i ma nazwę. To jest astrologia. Przezabawne i wymaga długich studiów, ale określa stopień prawdopodobieństwa zdarzeń i zachowań ludzkich. Jeśli się zdecydujesz wcielić, sporządzę ci kosmogram i będę śledzić twoje losy - ożywiła się. - Pobawię się nawet w wieszczkę i zobaczymy, czy coś się sprawdzi.

- Wy macie pojęcie o czym wy mówicie tak lekko? - wtrąciła się znów Alora. - Ktoś z was się kiedykolwiek wcielał?

- Nie, a co?

- No, to może powinniście - Alora była niepocieszona brakiem zrozumienia dla spraw Ziemian. - Ziemia to mój ulubiony temat - dodała ciszej, ale nikt jej nie słuchał. - Zastanów się Siske dobrze, zanim podejmiesz decyzję.

- Nie zniechęcaj jej.

Siske już była zbyt mocno zaciekawiona tematem, by się wycofać. Wyzwanie było nowe i nie przerażało jej, poczuła nagle sens swojego istnienia i już postanowiła. Odwiedzi Ziemię.

&&&

Fruit MS Jin wkroczył do wielkiej Sali niecierpliwie, chociaż starannie to ukrywał. Nie lubił czekać, aż ogromne, metalowe drzwi wolno zaczną się otwierać. Sala wyglądała tak jak zawsze, prawie wszystko w kolorze indygo. Ponoć podkreślało to władzę i autorytet.

Podłużne biurko, za nim cztery postacie w równie ciemnych, granatowych uniformach, przyciemnione światło, którego źródło ciężko było ustalić i całkowity brak jakichkolwiek innych sprzętów. Salę charakteryzowała prostota i surowość. Komnata wydawała się większa niż była w rzeczywistości, pomyślał.

- Chciałem tylko zawiadomić, że coś poszło nie tak - dostojnie obwieścił Fruit MS Jin. Jego prezentacja na forum zawsze musiała być artystycznie i z majestatem dopracowana. Każdy gest był ważny. Fruit czuł się tutaj najważniejszy. Zawiesił zatem głos dla podtrzymania napięcia spowodowanego podłużną pauzą w swej zwięzłej wymowie i kiedy uznał, że już może, dokończył: - Siske wpadła w ciąg karmiczny narodzin i śmierci - godnie się ukłonił i popatrzył w oczy Rady tak, jakby właśnie wykonał ruch przynoszący mu zwycięstwo w boju na szachownicy.

- Jak to? - Rada spełniła jego oczekiwanie wyrażenia co najmniej szoku. - Przecież ona jest stąd. Nie ma nic wspólnego z Ziemią.

- Niezupełnie - wysłannik udawał wahanie. - Jakby to powiedzieć... - powoli budował kolejne zdania, nieco jakby cedząc słowa w nadziei na stworzenie dramatycznego napięcia u słuchaczy. - Przeglądałem archiwa - mówił niezwykle wolno, co wzbudzało w zebranych chęć do ponaglenia go - i okazało się, że dawno temu już ktoś wysłał Siske na Ziemię. - Fruit znacząco spojrzał na Radę Najwyższych.

- Co za niedopatrzenie! - wyrwało się Lioni.

- Jak mogliśmy to przeoczyć? - Aron był zaniepokojony.

- To nie powinno było się zdarzyć! Jesteśmy Radą Najwyższą, my nie popełniamy błędów - Alora wydawała się zrozpaczona. - Biedna Siske.

- I owszem, popełniamy, tylko je lepiej maskujemy - zażartował Miren.

- Nie podoba mi się twoja interpretacja - skrzywiła się Alora. - My naprawiamy błędy, które już są.

- Hmmm... - chrząknął wysłannik. - Chciałem tylko przypomnieć, że Siske jest już w drodze - nie lubił nie być w centrum uwagi.

- Można ją jakoś zawrócić? - zapytała Lioni.

- No proszę, myślałem, że to Rada Najwyższych, a to banda idiotów - Fruit pomyślał tę kwestię zbyt głośno.

- O, wypraszam sobie! - Lioni zareagowała szybko. - Samo stanowisko jest dość ważne.

- No, szczególnie jak światy zaczną ulegać zagładzie. Ciekawe nad czym będziemy panować - Miren zawsze miał dobry humor.

- Nasz świat pozostanie. My po prostu z ciekawości wtrącamy się do innych - Lioni była pewna swoich racji. - To się nazywa eksploatacja, czy jakoś tak, a może eksploracja.

- Poza tym jesteśmy też Sądem Najwyższym, czyli zawsze mamy rację - Miren bawił się słowami. Znaczenie było mniej ważne.

- Radzę nie popadać w zbytnie uwielbienie - Aron wydawał się przywoływać Radę do porządku. - Może jednak podejmiemy jakąś decyzję.

- Obawiam się, że Siske już się urodziła - Fruit nadal stał spokojnie.

- Już? - zdziwiła się Liona - tak szybko?

- Na Ziemi czas ulega przyspieszeniu - tłumaczyła Alora. - Oni się tam starzeją.

- Naprawdę?

- Powinnaś trochę ruszyć swoje najwyższe cztery litery i poczytać o naturze światów - zmartwiona Alora była w nienajlepszym nastroju.

- Jesteś nieuprzejma - obruszyła się Liona.

- No to co robimy? - Aron przerwał rozpoczynającą się kłótnię.

- Jak jeszcze trochę poczekamy, to Siske przejdzie przez etap dzieciństwa - uśmiech z twarzy Mirena zdawał się nigdy nie znikać.

- A właściwie to jak to się stało, że ona tam była? - zainteresowała się Alora.

- Długo przed Chrystusem, miejsce - obecny Egipt. Okazuje się, że Siske tam nabroiła i to ma związek z tą siłą w niej, której aktywacji chcieliście tutaj uniknąć.

- A kto to jest Chrystus? - teraz Lioni się zainteresowała.

- A, to bardzo ciekawe co ona tam robiła i kto ją tam wysłał - Aron groźnie popatrzył po wszystkich członkach Rady. - Czy to było wtedy, kiedy mniej więcej mnie tutaj nie było? - zapytał ironicznie.

- Mniej więcej - nikt nie patrzył mu w oczy, wszyscy zajęli się przeglądaniem dokumentów na biurku. Biurko zajmowały różne rzeczy, niezwykle niezbędne w takich przypadkach.

- Albo zapytam inaczej, kto jej na to pozwolił? - Aron chciał wiedzieć. - I kto jest za to odpowiedzialny?

- Ależ Aronie, nie drąż tematu, to było tak dawno temu - Alora postanowiła załagodzić konflikt, który właśnie się szykował.

- Może wysłała się sama? - Miren próbował skierować tok myślenia Arona na nieco inne tory.

- Jak to sama? To my podejmujemy decyzję.

- Zazwyczaj zanim ją podejmiemy w tak szacownym gronie, w niektórych światach mija wiek.

- Chciałbym to zbadać dokładniej - Aron napierał.

- Obawiam się, że nie mamy czasu. U was to potrwa tysiąclecia - Fruit postanowił włączyć się do dyskusji. - Siske jest już na Ziemi. Niedługo będzie miała pięć lat.

- Ile to jest pięć lat?

- Liona, nie mam pojęcia, nigdy nie miałem - Miren wciąż się uśmiechał.

- Albo ogarnęła cię skleroza wieku starczego - Alora pozwoliła sobie na złośliwość.

- Co to jest wiek starczy?

- Krótko mówiąc, zapominanie przeszłości. Nie pamiętasz swojego dzieciństwa.

- Ja nigdy nie byłem dzieckiem - zdziwił się Miren.

- A to już się nazywa wyparcie - powiedziała fascynatka nauk ziemskich. - To według psychologii, takiej nauki ziemskiej. Zastanów się czego nie chcesz pamiętać - dokończyła znacząco.

- Ja nie mam z tym problemu, jak nie chcę czegoś pamiętać, to po prostu nie pamiętam i już - roześmiała się Liona.

- Ja bym nie ufał tej psychologii. To ich jakiś nowy wynalazek. Zupełnie jakby u nas powstało coś w zeszłym tygodniu.

- Miren, my nie mamy czasu, u nas wszystko jest teraz. Skąd ci do głowy przyszedł zeszły tydzień? - podejrzliwie dopytała Liona.

- Obił mi się jakoś o uszy. To ile to jest czasu od zeszłego tygodnia?

- U nas to i tak jest: teraz. Widzimy wszystko razem.

- Dlatego mamy takie trudności - Miren wnioskował. - Obrazy nam migają. Wszystko jest jednocześnie.

- Ja bym się nie użalał - Aron podjął wątek. - Chodzi tylko o to, by wziąć właściwy obraz i tam zaingerować. Chociaż z ingerencją to też byłbym ostrożny. Ostatnio mało nie doszło do zderzenia dwóch dolnych światów.

- Mała strata, to ciemne światy.

- Przecież potem i u nas zrobiłoby się ciemno - Liona uważnie rozejrzała się po sali. - No w każdym razie ciemniej.

- Przepraszam, ale nie nadążam za waszym tokiem rozumowania - wtrącił wysłannik. - Jaki to ma związek z Siske?

- Siske! - Alora wydawała się nagle rozbudzona. Ostatnie rozmowy Rady były dla niej niczym poobiednia kołysanka do sjesty. Zapadła zatem w małą drzemkę i teraz znajome imię sprawiło, że szybko otworzyła oczy. - Siske musi wrócić natychmiast. To bardzo niebezpieczne. Popatrzmy jak to najszybciej można załatwić. Obejrzyjmy najpierw, co ona robi - Alora spojrzała na wprost. Na ścianie ukazał się ekran. Zdawał się zupełnie zawieszony samoistnie w ciemnej przestrzeni.

&&&

Saskya jak zwykle bawiła się z kuzynką. Pogoda była słoneczna. Lato trwało. Wybiegła na podwórko i zbyt mocno trzasnęła drzwiami. Huk był większy niż zwykle. Szybka nad drzwiami pękła nagle, a jej spory kawałek runął wprost w kierunku głowy Saskyi. Czas się zatrzymał, a ona stała nieruchomo i tylko zacisnęła powieki spodziewając się bólu i uderzenia. Ciężki odłamek szkła spadł płasko na jej dziecięcą głowę. Pękł na samym czubku, a resztki potoczyły się po ziemi. Dziewczynka potrząsnęła burzą rudych loków, dotknęła ręką głowy, ale nie było żadnego śladu po uderzeniu. Zbiegła szybko po schodkach ganku i pospieszyła szukać Angeliki, swojej siostry ciotecznej.

&&&

- O, mój ty wszechświecie! - Alora oglądała obraz w skupieniu. - Biedne dziecko, miało jednak szczęście.

- No i szkoda, już by wróciła i by było po kłopocie.

- Cicho, wróćmy do początku.

Sala Rady pogrążyła się w ciszy na dłuższe TERAZ. Wysłannik równie cicho wycofał się z sali i postanowił wrócić za jakiś czas, licząc, iż Rada nie tylko podejmie decyzje, ale wprowadzi je w czyn. Czyżby się przeliczył?

W INNYCH WYMIARACH ~ Część II

Aloha van Dath

Z najdowała się w przyjemnie ciemnej przestrzeni. Wypełniała ją kojąca obecność i pustka. Tuż obok pojawiła się myśl jaśniejąca niczym promyk światła na tle bezkresnej nocy.

- Już czas - wiedziała, że to jej opiekun przybrał tę dziwną formę, by do niej dotrzeć. Nie chciała wracać, przynajmniej do niedawna. Teraz jednak zmieniła zdanie. Chociaż pustka była relaksująca, ona czuła rosnącą gotowość do opuszczenia tego cichego i spokojnego miejsca, punktu nicości, w którym wszystko się zaczyna i wszystko kończy.

Jej własne myśli pobiegły ku odległej Ziemi i ponieważ czas tutaj nie istniał, nie pamiętała kiedy ustaliła, gdzie podąży.

- Polska - zdecydowała już dawno, chociaż równie dobrze mogło to być teraz.

Myśli między nią, a jej opiekunem biegły szybko, chociaż obejmowało ich odwieczne trwanie i pozornie nie działo się nic.

Opiekun nie odzywał się, wokół panowała cisza. Z racji swej pozycji wiedział, że jej upór wygra nawet z delikatną sugestią, by jeszcze raz zastanowiła się nad wyborem.

- Jesteś pewna? - opiekun jednak nie wytrzymał, chcąc ją przekonać, by zmieniła zdanie, więc tym samym przegrał.

- Tak - odparła krótko.

- No skoro tak, to może chociaż za 20 lat...
- Nie, teraz... - ucięła.

- Jak sobie życzysz - opiekun nie kwestionował już jej wyborów, a ona odczuła tylko jego smutek przeplatany troską.

- Będziesz stopniowo odzyskiwać pamięć - dodał, kiedy jej obecność rozmazywała się, by wydobyć się z Aloha van Dath. Z nirwany zmierzała ku Ziemi. Podróż wydawała się daleka, trwała jednak sekundy.

- Powodzenia! - słyszała jeszcze rozmazującą się niczym pastelową złotą barwę myśl opiekuna.

Bezbronność

Wolność poruszania się w ciemności, ochraniającej i wydającej się tak bezpieczną nie trwała długo. Wpadła w wir już po chwili, a ta część podróży nie należała już do najprzyjemniejszych. Wir był jaśniejszy, nawet kolorowy, lecz już nie koił, nie ocieplał tak miło. Za dużo wrażeń.

- Zaraz zacznę zapominać - napomniała siebie i mimo, że wiedziała o standardowym zaniku pamięci, raz jeszcze postanowiła, że postara się pamiętać. Przywoływała ważniejsze obrazy ze swych doświadczeń. Słowa nie były potrzebne, słowa były za wolne. Liczyły się obrazy. Chciała pamiętać teraz, natychmiast, nie chciała czekać i odkrywać siebie na nowo, nie chciała nie rozumieć, chciała kontynuować podróż, a nie cofać się w niepamięć. To tylko strata czasu, który tam gdzie się wybierała istniał i miał znaczenie.

Przestawała kontrolować obrazy, wirowały razem z nią, zbyt szybko, czuła już, że nie uda jej się zachować pamięci i tym razem.

- Jestem... - dla odmiany usiłowała zwolnić pędzące obrazy i myśli. Wiedziała, że słowa stabilizują i zwalniają. - Wracam, żeby...

Jej umysł i świadomość wydawały się kurczyć, nie mogła już wyraźnie myśleć, mogła już tylko doświadczać, obserwować, zniewolona naciskiem z zewnątrz. Uwielbiała przeklinać, gdyby mogła, teraz by sobie też ulżyła, wykrzykując co myśli o tych głupich regułach. Ale nie mogła. Rozpoczęło się wcielanie. Zaczynała odczuwać dyskomfort bezbronnego, małego ciałka. Powyginane, zdrętwiałe kończyny, którymi nie mogła ruszyć. Czekała, nie poruszała się. Zimno, okrutne zimno! Panika i lęk! Na zmianę planów było już za późno. Musiała się pomylić, takich warunków zupełnie nie planowała. Czemu nie posłuchała opiekuna. Już jej nie usłyszy. A ona go już nie wezwie. Kilka lat upłynie zanim nauczy się ponownie kontaktu z nim. I to tylko przy sprzyjających wiatrach. Bo jeśli sobie nie przypomni, to wszystko pójdzie na marne. Czuła jak własna ambicja ją gubi. Frustracja osiągnęła szczyt. Otworzyła oczy, zobaczyła twarz przerażonego młodego mężczyzny i wydarła się okrutnie, jakby tym jednym krzykiem chciała wyrazić swoje niezadowolenie z samej siebie i ogromną pomyłkę, za którą teraz przyjdzie jej zapłacić.

Błoga nieświadomość

Pięcioletnia dziewczynka z rozwianymi długimi, miedzianymi włosami biegała w tanecznych pląsach po babcinym ogródku. Wesoła i uśmiechnięta potrafiła zabawiać śpiewem i tańcem każdego dorosłego, który tylko przyszedł w odwiedziny. Towarzyszyła jej też ulubiona psina Saba, spokojna o ciepłych ciemnych oczach i żółto-złocistej, długiej sierści. Dziewczynkę otaczała babcina miłość, wiejskie świeże powietrze, kwiaty i słońce. Babcia nieopodal kopała ziemię i sadziła kolejne kwiaty, a kolorowy ogród zdawał się żyć swym własnym życiem. Ogród szeptał, ale mała słuchała go rzadko zajęta bieganiem po między grządkami i śpiewem, stanowiąc nie lada konkurencję dla ptaków. Babcia była szczęśliwa i wnuczka trwała w szczęściu nie doświadczając innego stanu ducha.

- Saskya - wołała babcia - a zaśpiewaj taką piosenkę...

Saskya była szybsza, już śpiewała. Dobrze wiedziała, o jaką piosenkę chodzi. Uwielbiała śpiewać, uwielbiała śpiewać dla babci.

Odległy cichy, mruczący grzmot zwiastował burzę.

- Oj, nie mamy piorunochronu - zmartwiła się babcia. - A burza idzie.

- Nie, nie. To ja ją odwołam.

Babcia się uśmiechnęła na szalone jej pomysły i wróciła do pracy, by zdążyć przed żywiołem.

Saskya pobiegła do samej furtki, minęła dom i zatrzymała się u wejścia. Uniosła ręce wysoko i zaczęła szeptać. Po czym szybko pobiegła dokładnie w drugi kąt wielkiego ogrodu babci, pod samą siatkę dzielącą posiadłość od terenu sąsiadów i powtórzyła całą czynność. Powtórzyła wszystko jeszcze dwa razy, kierując się w pozostałe strony świata i pobiegła po swoją ulubioną maskotkę. Maskotka miała na imię Misia i była żółtym misiem o dużych, czarnych oczach. Porwała maskotkę w biegu i pobiegła do furtki przywitać się z kuzynką Angeliką, swoją rówieśniczką. Uśmiechnięta i zadowolona buzia Angeliki zdradzała nowe pomysły, których Saskya domyślała się, widząc błysk w piwnych oczach. Pod pachą Angelika ściskała swojego ulubionego pluszowego zająca, którego ochrzciła po prostu i zwyczajnie: Zajączka. Tarcy, mama Angeliki, zdążyła dostrzec tylko znikające kruczoczarne loki swojej pociechy i miedzianą barwę loków należących do Saskyi. Dziewczynki pobiegły się bawić. Obie bardzo cieszyły się, że mogą być razem u ukochanej babci, w miejscu, w którym czuły się kochane i były swobodne. W miejscu, w którym nikt ich nie karcił, gdzie robiły co chciały. Babcina miłość dawała komfort i szczęście, jakich nie każdemu dane jest doświadczyć. Każde lato spędzały razem tu na wsi.

- Zaraz idę - wykrzyknęła babcia. - Tylko skończę, bo burza idzie.

- To ja mamo wstawię wodę na herbatę.

&&&

Na dworze wyraźnie się ściemniło, a w oddali nadal słychać było mruczące pogrzmiewanie.

- Nie pal światła. Burza idzie i komarów naleci - babcia zapaliła świeczkę, postawiła na stole świeżo upieczone ciasto i wszyscy zasiedli w blasku świecy. Babcia jednak zamiast usiąść przy stole podeszła do okna.

- Coś się ta burza zdecydować nie może.

- Może bokiem przejdzie - rzuciła Tarcy zaczytana w kolejnej książce, którą dziś udało jej się wypożyczyć. Tarcy uwielbiała czytać i zawsze wręcz polowała na nowości napływające do biblioteki.

- No, ale nie będziesz jechać w taką pogodę, jak nie przejdzie, to zostaniesz do jutra.

Tarcy już tego nie słyszała, pochłonięta akcją powieści.

Dziewczynkom burza czy też jej brak nie przeszkadzały zupełnie. Potrafiły się dobrze bawić w każdych warunkach.

- No, przeszła bokiem jakoś, można zapalić światło - zawyrokowała babcia i poszła do kuchni przyrządzać kolację.

Zmiany

No?

- Co, no?

Jak zwykle od wieków, wielka sala Najwyższej Rady, była słabo oświetlona. Przy ogromnym, podłużnym biurku siedziały cztery osoby.

- To niewiarygodne, jak Ziemianie dążą do samozagłady. To sobie obejrzeliśmy, Siske ma się dobrze widzę, ale przy okazji widzieliście te wojny, a tych polityków szalonych... Jak nic, będzie zagłada.

- Moim zdaniem to już mocno przegrzany temat, przedawniony i nudny. To takie banalne: zagrożenie zagładą - Liona wpatrywała się w ekran na ścianie, oglądając wiadomości z Ziemi.

- Przynajmniej są w tym pomysłowi, a my? - Aronowi też czegoś zabrakło.

- No, my pracujemy - podtrzymywała fason Alora.

- E tam, siedzimy tu od wieków, w takiej samej sali, przy takim samym biurku, gorzej, w tych samych uniformach - Liona spojrzała zdegustowanym wzrokiem na własny granatowy ubiór.

- Możemy to zmienić - zaproponował Miren.

- Właśnie! - ucieszyła się Alora. - Zmieńmy wystrój! - klasnęła w ręce.

- Nie ma to, jak zmiany.

- No to co proponujecie? - Alora ciekawie spojrzała na grono odwiecznych już przyjaciół.

- Musimy to omówić.

- Banda szaleńców - Aron wzniósł oczy ku ogromnemu sufitowi sprawiającemu wrażenie nieba. Nie mógł jednak nie przyznać, że i on był zadowolony z pomysłu.

- Kolory - Alora wyraźnie się ożywiła. - Może trochę pasteli, będzie wiosennie - już wyciągnęła dłoń w celu wypuszczenia jasnych promieni ze swych opuszków palców. - Poeksperymentujmy!

- No wiesz - oburzyła się Liona. - Chcesz zrezygnować z przydającego nam władzy i prestiżu indygo? Zresztą będzie za jasno.

- Nie będzie. Mam już dosyć patrzenia na te bezkresne granatowe ściany i mosiężne drzwi.

- Nie musisz na nie patrzeć.

- Muszę, są naprzeciwko mnie.

- To się przesiądź.

- No, to musimy przesunąć biurko.

- Nie ruszaliśmy biurka od wieków.

- To chyba nic nie szkodzi, pora poruszyć i to.

- Kto chce siedzieć dokładnie naprzeciwko drzwi?

- Przecież możemy się zmieniać.

- Ja chcę przed sobą pastele.

- A ja nie chcę.

- Każdy decyduje, co chce przed sobą widzieć.

- Każdy może mieć swój fragment ściany.

- To nic nie będzie do siebie pasowało! - dyskusja wrzała i robiło się coraz bardziej gorąco w atmosferze Rady.

- I tak nic nie będzie pasowało, jak każdy zacznie tworzyć.

- Ja mam pomysł!

- My mamy same pomysły, na tym polega problem! - przerywano sobie nawzajem.

Dyskusja trwała jeszcze długo, a temat zdawał się być coraz bardziej zajmujący. Można powiedzieć, że w sali coś się gotowało.

Zmiany były tuż, tuż.

Gorąca debata Rady

Wysłannik zapukał kołatką trzy razy. Mosiężne drzwi powoli zaczęły się rozsuwać. Towarzyszył temu anielski dźwięk harf. Fruit MS Jin miał wrażenie, że wkracza do raju jakkolwiek pojętego. Zdążył nawet pomyśleć, czy nie pomylił kierunków. Istnieje coś takiego jak ludzka podświadomość i teraz jedyne słowo jakie mu przychodziło do głowy to „raj", ewentualnie: wkraczam do raju.

Przekroczył zatem próg niepewnie, przystanął, po czym powoli, ostrożnie rozejrzał się dookoła. Zmiana, jaka dokonała się w wystroju sali po dość długim czasie oglądania tego samego, była niepokojąca i mocno podejrzana. Wraz z zamknięciem wrót muzyka ucichła, jakby nagle została urwana przez głuche domknięcie drzwi. Gdzieś tu jednak słychać było odgłos przelewającej się wody i śpiew ptaków. Dźwięki motywowały do poszukiwania ich źródła, czyli fontanny, drzew i ptaków. Pierwsze co zobaczył wysłannik, to ogromne połacie oliwkowego materiału pokrywającego biurko. Materiał miał być zapewne obrusem. Ten natomiast wykraczał daleko poza koniec biurka, porastała go też trawa bądź mech.

Za biurkiem cztery postacie siedziały w pewnym napięciu i niepewnie wpatrywały się w wysłannika.

- I jak ci się podoba? - Liona ledwo potrafiła się powstrzymać od zadania tego pytania.

Każda z osób wyglądała też inaczej niż dotychczas. Mężczyzna siedzący po lewej stronie i jakby na uboczu miała najbardziej jednokolorowy strój. Garnitur Arona w kolorze granatowym zdradzał przywiązanie do tradycji. Obok, po chwili przyzwyczajenia się wzroku obserwatora do iskrzących się błysków barw, siedziała Liona, sprawiająca wrażenie mienienia się wszystkimi kolorami tęczy w ruchu. Kolory miały tę niepospolitą właściwość zmieniania się co chwila jak w kalejdoskopie.

- Nie mogłam się zdecydować - powiedziała Liona, jakby czuła silną potrzebę uzasadnienia swojego ubioru. Przybysz wpatrywał się w nią z mocniej otwartymi oczami, nieco dłużej niż przewiduje grzeczność. Dalej siedział mężczyzna w szpiczastym kapeluszu. Miren zachował autorytatywny kolor indygo w swej szacie maga. Okrycie to spływało po nim swobodnie i mogło ukryć co najmniej czterech osobników jakiejkolwiek płci. Po prawej stronie siedziała kobieta w kilkunastu naszyjnikach, dla których jedyną rywalizacją była równie ogromna, jeśli nie większa ilość bransolet na rękach.

Jakby w odpowiedzi na nieme pytanie, Alora potrząsnęła bransoletkami. Rozległ się delikatny: brzdęk - brzdęk, a sprawczyni tego odgłosu uśmiechnęła się zadowolona. Można przypuszczać, że poczuła się bardzo kobieco.

Wysłannik wzniósł oczy w górę i nie powstrzymał się od zadania pytania:

- A co to jest to nad wami? - obraz zawierał dużą jasną plamę po środku płótna. Plama świeciła się jasno i miała ludzki kształt. Po bokach obrazu paliły się pochodnie i gromnice.

- To jest ołtarz, najnowocześniejsze wyobrażenie Boga.

- Czy mam się pomodlić? - zapytał Fruit MS Jin.

- Pomodlić? - Liona była zdziwiona.

- No, to nieco prowokuje do modlitwy - uprzejmie wyjaśnił wysłannik. - A gdzie fontanna i ptaki? - postanowił zmienić temat, bo zaczynał czuć się nieswojo.

- Widzicie!? - powiedziała Alora z wyrzutem w głosie. - Mówiłam, że same dźwięki bez kontynuacji, to brak konsekwencji. - Wiedziałam!

Po obu stronach Rady wszystko wydawało się być na swoim miejscu, tak jak zawsze. Przyciemnione kąty w kolorze indygo miały pogłębiać spokój, dodawać nieco majestatu i umożliwiać porozumienie się w toczących się tutaj naradach. Wysłannik wolał nie oglądać się za siebie. Ciekawość jednak wygrała. Ogromne konary pojawiły się przed jego oczyma. Gigantyczny wręcz rozmiar drzewa wydawał się zniewalać swą obecnością resztę zalesionego obszaru. Ekspansję drzewa blokowały mosiężne drzwi, tradycyjnie na swoim miejscu, czyli mniej więcej po środku. Natura wyglądała na żywą, poruszana delikatnym zefirkiem była czymś więcej niż tylko nowoczesnym obrazem, jeśli trójwymiarowym, to też za mało powiedziane. Ściana już nie istniała. Można było się jej doszukiwać. Jedynie drzwi wskazywały, że gdzieś tu jest wyjście z lasu.

– A to wielkie drzewo? – zapytał wysłannik będąc pod wrażeniem zmian i rosnącego w nim napięcia. Prawie każdy bowiem boi się nieznanego.

– A to nasze drzewko szczęścia – uśmiechnęła się Alora rada, że jej pomysł przykuł uwagę gościa.

– Imponujące – stwierdził wysłannik, nieco sarkastycznie. – To prawdziwa dżungla.

– A tam w rogu będzie fontanna. Powinna się zmieścić. Uważam, że powinna być z marmuru, co wy na to? – Alora planowała.

Reszta osób za biurkiem już szykowała się do wygłoszenia swych poglądów, kiedy Fruit szybko im przerwał, przestraszony, że znów będzie świadkiem ich debaty.

– Ja tylko na chwilę.

– Co ma do tego fontanna? – ktoś już podążył tym tokiem myślenia, jednak grono rady wkrótce się zreflektowało.

– Jakie masz dla nas wieści? – zapytał Aron.

– Saskya choruje. Saskya czyli Siske – uzupełnił Fruit, by nie doszło do nieporozumień.

– To jedno i to samo – skomentował Miren.

- Bądź precyzyjny, to osoba, a nie ono - obruszyła się Alora.
- Ustalmy to porządnie. To kobieta - Liona starała się przyspieszyć dyskusję.
- Czyli ona jest kobietą - podsumował Miren.
- Śmiem mniemać, że z dziewczynki wyrasta kobieta - Liona chwilowo nie była w nastroju do dyskusji.
- No dobrze, to tę sprawę mamy już jasną - niecierpliwił się Aron.
- Choruje - powtórzył Wysłannik.
- I?... - zachęcająco dopytywał Miren.
- Bardzo choruje i... - Fruit również zawiesił głos. - Dość długo. Można powiedzieć po ziemsku, że chronicznie. - Fruit jednak świadom już był, że Rada nie rozumie przesłania tego prostego zdania.
- A co to jest choroba? - padło pytanie, którego się spodziewał.
- Macie krzesło? - zapytał Fruit zrezygnowany.
- Mówiłam wam, że to nieelegancko nie dawać krzeseł i stolika dla gości - Alora skorzystała z momentu, by zaznaczyć, że miała rację. Stolik i krzesła wkrótce się zmaterializowały.
- Życzysz sobie specjalne kolory? - zapytała Alora.
- Prostota drewna w zupełności wystarczy - szybko odpowiedział Fruit. Bardzo nie chciał kolejnej debaty nad kolorystyką stolika.
- A tak a propos, czy to właśnie choroba, że musisz usiąść? - Alora nigdy nie chorowała.
- Niezupełnie - wysłannik nie wypadł z roli dyplomaty. Usiadł i powtórzył: - Choroba to słabość ciała, może też być słabością umysłu i ducha.
- Och, to ja bym się o Siske nie martwiła. Szczerze mówiąc nie pamiętam, by coś takiego miała.
- Tutaj nie ma chorób - przypomniała Liona. - To tylko na Ziemi w materii.
- Szanowna Rado, powtarzam, że Siske choruje, przemyślcie to - Fruit wydawał się tracić cierpliwość.
Zaległa cisza. Po dłuższej chwili Fruit podjął wątek.

- Dlaczego nikt nic nie mówi?
- Myślimy - padła odpowiedź.
- I co?
- No, ja mam pytanie - przyznała się nieśmiało Alora.
- Pytajcie - słabo powiedział wysłannik.
- Co ta choroba robi, że jest taka ważna?
- Jak można nie wiedzieć, co to jest choroba? - wysłannik zaniechał starań dyplomatycznych. Czuł, że musi powiedzieć, co myśli. - Wszyscy Ziemianie chorują, przez większość czasu. Choroba, to jeden z głównych tematów na Ziemi.
- Naprawdę? - odezwał się Miren. - Do niedawna myśleliśmy, że destrukcja.
- No to co ta choroba powoduje?
- Śmiem twierdzić, że wszyscy powinniście się udać na Ziemię - otwarcie powiedział Fruit. Po czym wstał i ruszył do wyjścia. - Musicie zacząć iść z postępem - dodał.
- No właśnie zaczęliśmy.
- Zmieniliście wystrój sali - gorzko przyznał Wysłannik.
- To chyba dobre na początek.

Wysłannik już tego nie skomentował, czym prędzej opuścił komnatę, w obawie, że opuści go jego własna, wypracowana ciężko samokontrola.

- Co mu się stało? - zapytała Liona.
- Nic, zmienia się, jak my wszyscy.
- To te ziemskie klimaty mają na niego wpływ.
- Może warto odwiedzić tę Ziemię? - Liona była zaciekawiona. Tyle czytała, ale rzeczywiście tam ciągle coś się zmienia.
- A co my tam będziemy robić? - zaoponował Aron.
- Na pewno się czegoś nauczymy - dyskusja tym razem nie trwała długo. Każde z nich na swój sposób było zainteresowane Ziemią.
- No to się pakujemy - oznajmiła Liona.

- Nie byłabym taka pewna - uśmiechnęła się Alora. - Z tego, co wiem, nic tam nie wwieziemy, ani nie wywieziemy.

- Naprawdę tak pilnują? - zdziwiła się Liona.

- Chyba nie o to chodzi.

- Zaraz, ale przecież ktoś musi tutaj zostać w razie wizyt.

Nastała cisza. Nikt jakoś nie kwapił się do zmiany raz podjętej decyzji. To wywołałoby kolejny dyskomfort i potok nowych przemyśleń.

- Musimy być tam razem, każdy z nas coś wie, poradzimy sobie - zawyrokowała Liona.

- A może są jakieś księgi o tej Ziemi?

- Są, całe tomy i powstają nowe. Trzeba by zahaczyć o Bibliotekę ziemską. Już dawno nic nie czytałam - Alora rozmarzyła się.

- No to mamy problem. Nie mamy czasu na czytanie.

- Słuszna uwaga, musimy ruszyć niezwłocznie - nikt nie miał ochoty na studiowanie ksiąg oprócz Alory. Co innego obejrzeć wydarzenia na ekranie, a co innego przechodzić przez całą procedurę znajdowania informacji w bibliotece.

Grono nagle zaczęło się spieszyć.

- To gdzie najpierw? - potrzebowali wspólnie ustalić kierunek.

- Aloha van Dath. No wiecie, tam gdzie Siske. Trzeba wybrać szczegóły: miejsce urodzenia, datę i tym podobne - poinformowała Alora.

- Kto by się tym przejmował. Bierzemy co będzie - Aron był coraz bardziej ciekaw Ziemi.

- To podobno niebezpieczne - ostrzegła Alora.

- Wybór? No co ty. To będzie proste. Zaczynam się cieszyć na tę wyprawę. Będzie zabawnie i niezwykle rozwijająco - Liona była pełna optymizmu.

- Hmmm... - Alora nie powiedziała nic, ale jej westchnienie było znaczące.

&&&

- To tutaj, zobaczcie, to najbliższe nas, tak jakby pod nami, to Ziemia - wskazała palcem Alora.

- Jak tu ciemno - Liona była zdziwiona.

- Jesteśmy w pustce proszę państwa - przypomniał Aron.

- No to wybierajmy.

Świetlista postać ukazała się subtelnie i znikąd.

- Dokąd państwo sobie życzą? - zapytała uprzejmie.

- Witaj Dagar. Chcielibyśmy odwiedzić Ziemię, ale już jako dorośli. Taka inkarnacja wstecz. Można tak? Chcemy sobie pozwiedzać i znaleźć Siske.

- Obawiam się, że inkarnacja wstecz jest nielegalna. Będą skargi.

- Przecież nie możemy się pojawić jako niemowlaki przy dorosłej już prawie Siske. Nie pomożemy jej wtedy.

- To dosyć niebezpieczne i tak - Dagar starał się przekonać Radę.

- Otrzymacie bagaż doświadczeń, których przeżywania nie będziecie pamiętać.

- To może być całkiem zabawne - Miren był skłonny znów pożartować.

- To zazwyczaj okazuje się potem - Dagar powściągliwie udzielił informacji.

- A jakie będą skutki naszego wyboru? - dopytywała się Liona.

- Tego nigdy nie wiadomo.

- No widzicie, może być całkiem miło - Miren był zdecydowany.

- Może - Dagar nie oponował.

- A dokąd napłyną te skargi jak nie do nas? - lekceważąco prychnęła Liona.

- Nie, napłyną też do wyższych światów - poinformował Dagar.

- No, ale kto się poskarży?

- Dusza, która będzie wyparta z ciała. Na pewno zbadają fakt, że czyjaś dusza opuściła ciało wcześniej niż powinna.

- To ja nigdzie nie idę. Nie ma mowy, zdegradują nas i odbiorą naszą nową salę - Liona się przestraszyła.

- E tam, może są jakieś inne sposoby? - Aron szukał rozwiązania.

- I owszem, możecie tam poprzebywać niematerialnie.

- No, to nie ma zabawy, tak? - rozczarował się Miren gotowy doświadczyć czegoś nowego. - To co wcielamy się?

- Ja bym to jednak przemyślał - Aron był ostrożniejszy.

- Gratuluję wniosku - odezwał się Dagar.

- Jak będziemy doświadczać materii jako duchy? - Miren był niepocieszony.

- Hmmm, na to też jest sposób, aczkolwiek mało legalny - wyjaśnił Dagar, a Rada się zaciekawiła.

- No pewne byty i zmarli żywią się energią ludzką poprzez nałogi. Można doświadczać w ten sposób: picia, jedzenia, narkotycznych odlotów, palenia. Zatem pewien wybór doświadczeń jest.

- Jakie to niesmaczne - skrzywiła się Liona.

- Wręcz przeciwnie, bywa całkiem smaczne i wygodne - zaoponował Dagar. - Można pić i nie mieć kaca, można się najeść i nie czuć sytym i tak dalej.

- Naprawdę? - Miren też popatrzył z nieufnością.

- A jaki jest najpewniejszy sposób, by w miarę szybko wrócić? - zapytał Aron.

- Wcielić się w zwierzę domowe. Przy sprzyjających wiatrach daję wam kilkanaście lat życia.

- To oburzające, masz nas za durniów? - Alora się zezłościła.

- Nie, ale za istoty nie mające pojęcia o Ziemi i o tym w co się pakują. Radzę zrobić rekonesans bez wcielania i poobserwować. To przynajmniej wzbudzi sensowne pytania - tym razem Dagar się obruszył i po prostu zniknął.

- Wracamy do sali - Aron podjął decyzję. - Tam jakoś się lepiej myśli.

- Tak, zdecydowanie musimy to przemyśleć.

- Nie wydaje wam się, że ostatnio nasza obecność irytuje innych? - zapytała Alora.

- Nie, nic takiego nie zauważyłem.

- No pewnie Miren, ty żadnych emocji nie dostrzegasz. Pewnie się starzejemy - Liona sama przestraszyła się tego, co mówi i szybko spojrzała na swoje ręce.

- Spokojnie, jak nie ma efektów starzenia się przez tysiąclecia, to już prawdopodobnie nie będzie. Przecież to efekt ziemski.

- Nie Miren, chodzi mi o poglądy. Mamy przestarzałe poglądy - Liona się przejęła. - Jesteśmy ignorantami, niewiele wiemy o Ziemi.

Grupa wkroczyła do sali.

- Zamówimy księgi i będziemy studiować - Aron znalazł najszybszą radę.

- To dosyć nudne. Może wezwijmy...

&&&

Do sali wkroczył Fruit MS Jin.

- Tak się cieszymy, że cię widzimy - Alora spojrzała na wysłannika jak na wybawcę. Fruit nie mógł być nieuprzejmy wobec tak ciepłego przyjęcia. Rozejrzał się po sali, lecz o mało nie potknął się o nowe elementy wystroju. Wszędzie, gdzie tylko było miejsce, leżały zwoje ksiąg i skryptów.

- Studiujemy - pochwaliła się Liona.

- Bardzo słusznie, a czy już coś postanowiliście w sprawie Siske?

- Jeszcze nie.

- Tak, oczywiście.

- No, niezupełnie.

Tylko Aron milczał, wpatrując się w wysłannika i myśląc nad odpowiedzią.

- Tak też myślałem - westchnął wysłannik.

Fruit uwielbiał jednak przynosić wieści. Im bardziej oryginalne, tym lepiej.

- No i stało się. Siske została wytropiona przez starego wroga. Pozwolę sobie dodać, że jak pamiętacie z historii, intruz uciekł ze świata i ukrył się właśnie na Ziemi. Problem oczywiście polega na tym, że on ją pamięta, a ona go nie, bo rzecz jasna w podróżach inkarnacyjnych traci się pamięć - oznajmił niewinnie.

- Jak to? - Rada zapytała chórem.

- No i masz, pewnie już umarła - zasmuciła się Alora.

- To cudownie, niedługo zda nam raport - Miren zatarł ręce.

- Obawiam się, że nie może. Nie zmierza do nas. Na razie walczy, widać natura wygrywa, ale w razie śmierci ziemskiej, jej dusza może zostać uwięziona. Naprawdę o tym nie słyszeliście? - dokończył.

- Jak to się stało? - konkretnie zapytał Aron.

- Całkiem zwyczajnie - Fruit cedził wiadomości świadomie i z dozą niedbałej staranności. Rada nie poruszyła się nawet w oczekiwaniu na ciąg dalszy. Niestety, ciąg dalszy należało wydobywać. - Zaczęło się od książki. Potem przyszły sny i opuszczanie ciała... - Fruit dodawał, wiedząc, że zwykle słowa po odpowiednim zbudowaniu napięcia wywołują odpowiedni efekt.

Rada bez zrozumienia wpatrywała się w wysłannika.

- Uspokójcie się, to zwyczajna podróż astralna. Fruit jak zwykle wyolbrzymia fakty - Aron odezwał się pierwszy.

- Wypraszam sobie - Fruit poczuł się urażony, lecz z szacunkiem spojrzał na Arona i pomyślał, że może to nie taka banda debili, jak mu się wydawało.

- Zatem wróci.

- Niekoniecznie - Fruit był w swoim żywiole i postanowił grać dalej swój spektakl jednoosobowego teatru.

- Młody człowieku, będziemy wdzięczni za zdanie całego raportu, od początku - Aron był zły na ciągłe próby zastraszania Rady.

- Do usług - rola dyplomaty Fruitowi odpowiadała, a teraz zamierzał zdać cały raport, więc znów mógł być w centrum uwagi. - Poproszę o ekran, niech to, co zobaczycie potwierdzi moje słowa - Fruit rozpoczął opowieść na temat wędrówki ziemskiej Siske.

W INNYCH WYMIARACH ~ CZĘŚĆ III

Ciekawość to pierwszy stopień do piekła, ale też do wiedzy

Zostawcie ją - powiedział Astari, wysoka postać, mało wyraźna na tle pastelowego, złotego i ciepłego światła.

- Będzie nasza - odparła kolejna postać żarząca się oślepiającym złotym światłem.

Te dwie postaci długo stały naprzeciwko siebie, mierząc się wzajemnie i czekając na ruch przeciwnika. Dobrze wiedziały, że atak niczego nie zmieni, nikogo nie pokona, walka była jedynie nieszkodliwą zabawą. Nie byli ludźmi, nie mogli być zranieni. Nie mogli być unicestwieni. To nie oni o tym decydowali. Ich walka mogła odbywać się tylko przy pomocy człowieka. Sami po prostu istnieli. Trwali w bezruchu, z godnością na jaką tylko ich było stać.

&&&

Siedemnastoletnia Saskya obudziła się późnym rankiem i czuła, że coś jest nie tak. Nie wiedziała jednak co. Coś się nie układało. Coś się nie układało i to od dawna. Namacalny i widzialny świat to nie wszystko, tyle już wiedziała. Było coś więcej, czego uchwycić nie potrafiła. To coś wołało ją, fascynowało, przerażało, ale zbyt często dawało o sobie znać. Jak każda nastolatka miała swoje marzenia. Wierzyła, że może je zrealizować i musi tylko znaleźć sposób. Daleko szukać nie musiała. Wiedza tajemna nie była jeszcze tak popularna, nie było tyle publikacji, ale ona dostała książkę od swojej cioci, która po prostu rzuciła lekturę w kąt jako nienadającą się do czytania.

- Jakieś bzdury - skomentowała.

Saskya te bzdury pochwyciła i pilnie zaczęła studiować, co też potęga podświadomości potrafi uczynić.

- Należy zacząć od prostych haseł i ćwiczyć na rzeczach najprostszych - przeczytała i rozpoczęła trening. Skoro można wszystko, dlaczego by nie spróbować. Niewiele zastanawiając się nad konsekwencjami swych życzeń, korzystała z każdego pomysłu, który aktualnie przyszedł jej do głowy. Ćwiczyła na wszystkim, łącznie z tym, by wcześniej przyjechał oczekiwany tramwaj czy autobus. Nad sukcesami się nie zastanawiała. Nie potrafiła bowiem odróżnić, czy tak miało być, czy rzeczywiście to ona sprowokowała daną sytuację. Grunt, że efekty były pożądane, cokolwiek je spowodowało. Jednak im dłużej eksperymentowała, tym wyraźniej czuła, że coś obok niej zmienia się, coś jest nie tak. Ona sama zmienia się.

Pewnego dnia, kiedy spojrzała w lustro, uważnie przyjrzała się swoim oczom i wzdrygnęła się. Miała wrażenie, że to nie ona. Te oczy były zimne, złośliwe i okrutne. Te oczy były zwierzęce i złe. Wystraszyła się.

Nie miała jednak zbyt wiele czasu, musiała się pakować. Wyjeżdżała wkrótce do Niemiec do wujostwa i do pracy na całe lato, jako pomoc i opiekunka piątki dzieci.

Mrok

Dziewczyna czuła się obco w Niemczech. Mimo, że ciocia z wujkiem robili co mogli, by zapewnić jej udany pobyt, ona tęskniła za czymś, czego sprecyzować nie potrafiła. Stroniła od ludzi, a niepokój wewnętrzny zdawał się narastać. Nie lubiła swojej pracy, nic jej nie cieszyło. Opiekowała się dziećmi tylko przez pięć godzin dziennie, ale z ulgą wychodziła z domu pełnego śmiechu, radości i miłości. Mały Miko nie odstępował jej na krok, ale i to nie było pociechą. Pogrążona w swych własnych myślach nie zauważała chęci dzieci do zabaw. Bardzo rzadko się uśmiechała. Mocniejszy dźwięk wytrącał ją z równowagi. Nikt nie rozumiał czemu nagle się przestraszyła kiedy metalowa miska w kuchni po prostu spadła i ciężko uderzyła o posadzkę. Niestety ona też tego nie rozumiała.

Każdego wieczoru czuła, że ktoś lub coś ją wzywa. Coś czaiło się w kącie pokoju i narastało jak cisza przed burzą. W niej samej skradały się same przykre uczucia i ciężko było je ukrywać przed zazwyczaj serdecznymi wokół ludźmi. Miała wrażenie, że jest w pułapce, których ścian nawet nie można dostrzec. Ganiła samą siebie za myśli złości, nienawiści, agresji do ludzi. W każdym dostrzegała coś złego, coś co można by skrytykować. Nie miała pojęcia skąd przychodzi jej do głowy tyle złych myśli.

- Saskya, chodź już na przyjęcie. Jest piękna pogoda i ma się utrzymać co najmniej kilka dni - cieszyła się ciocia. Urodziny sąsiada mogły odbyć się na dworze w blasku słońca.

Saskya wychodząc z łazienki ostatni raz spojrzała w lustro i zatrzymała się wystraszona. Jej oczy były pełne lęku, lecz chwilę potem pojawiło się w nich złowieszcze okrucieństwo. Odczuła silną potrzebę zrobienia czegoś bardzo złego. Jej wzrok wyrażał sarkazm i znużenie. Idąc do gości nie mogła pozbyć się wrażenia pogardy. To nie był młodzieńczy bunt, to była pogarda dla ludzi, którzy wydawali się być nikim, śmiesznymi kukiełkami zajętymi głupimi, nie mającymi znaczenia rzeczami. Oni o niczym nie mają pojęcia, rozmyślała ze złością. Po co oni żyją? Są niczym w obliczu tego wszystkiego. Nie chcę tu być. Chcę się wydostać.

- Hej Saskya - wujek z uśmiechem na twarzy próbował ją wciągnąć do rozmowy, lecz ona tylko mruknęła coś niezrozumiale, udając, że kompletnie nie rozumie po niemiecku. Wujek jednak miał cierpliwość i tłumaczył już na polski. Ogromnym wysiłkiem było dla niej udawanie, że jest zainteresowana rozmową. Po chwili jednak znów odpłynęła we własne myśli: nudzi mi się. A może by tak z pogodą. Z hasłami to już się za proste robi. Weźmy się za coś naprawdę trudnego. Zobaczymy czy to bujda z tym wywoływaniem pogody, czy nie. Zamknęła oczy i zobaczyła burzę z piorunami. Nie, to niemożliwe, przecież w najbliższych dniach ma nie padać, nawet żadnych burz nie zapowiadają. Sprawdzałam pogodę i ciocia też. Postanowiła jednak spróbować. Mam czas, mogę poeksperymentować. Koncentrowała się długo. Roześmiani goście wokół motywowali ją tylko do większego wysiłku. Chciała im przeszkodzić w tej ich niewinnej radości, której sama nie była w stanie odczuwać. Chciała, żeby rozbiegli się w popłochu do domu z powodu burzy i deszczu.

Wydawało się, że przegrała. Burza nigdy nie nadejdzie. I nagle niebo niepokojąco się zachmurzyło. Niebo pociemniało. Zbyt wcześnie było na wieczór. Saskya, która do tej pory siedziała przy jednym ze stołów zastawionych ciastami i smakołykami, wstała i wolno niczym w transie skierowała się do ogrodu za domem. W atmosferze coś narastało i w niej samej jakaś siła również szukała ujścia. Sama czuła się jak burza, która czeka na swoją kolej, by przemówić. Stanęła w ogrodzie, uniosła ręce, a kąciki jej ust uniosły się w szyderczym uśmiechu. Jej wzrok skupiony był na czymś w oddali. Ani daleko, ani blisko, ale nie tutaj. Stała już bardzo długo, niebo pociemniało jeszcze bardziej. Nie zauważyła, że kilka okolicznych kotów podeszło do niej i niespokojnie zaczęło ocierać się o jej nogi. Miauczały i zdawały się być przyciągane do Saskyi, która odczuwała dziwną siłę, moc wypełniającą każdą komórkę jej ciała. Zachowanie kotów sprawiało jej dodatkową przyjemność. Obejmowało ją złudne odczucie władzy i panowanie nad przyrodą i zwierzętami. Zupełnie pewna swego udała się do domu, do swojego pokoju i zasnęła. Wieczór nadszedł cicho. Potężny grzmot wybudził Saskyę nagle i sprawił, że przerażona natychmiast usiadła na łóżku. Kolejny grzmot i piorun rozświetlający niebo, które widziała przez okno, zwiastował złość i gniew. Serce dziewczyny zaczęło bić coraz szybciej. Nigdy dotąd nie bała się burzy.

- Nie wolno wzywać daremnie! - usłyszała groźbę w swoim własnym umyśle i odruchowo zasłoniła uszy rękami.

Ponowny grzmot i oślepiający blask za oknem spowodował, że zamknęła oczy, lecz właśnie wtedy zobaczyła złowieszczą, świecącą się istotę, która wydawała się kroczyć w jej kierunku. Saskya jęknęła z przerażenia i cofnęła się w sam kąt łóżka, tuż przy ścianie. Następny grzmot zwiastował zbliżające się niebezpieczeństwo.

To idzie po mnie - zdążyła pomyśleć i rzuciła się do ucieczki. Jedynym miejscem bez okien była łazienka, gdzie spędziła całą noc, siedząc skulona na zimnej posadzce i szlochając. Usnęła nad ranem zmęczona strachem i własnym płaczem.

Od tej pory przez długie miesiące miała nie przespać spokojnie ani jednej nocy.

Późnym rankiem wróciła do pokoju i wycieńczona spała do południa. Kiedy się obudziła, pomyślała, że to wszystko to jakiś absurdalny sen. Zganiła samą siebie za taki strach i poszła się umyć.

Jedno spojrzenie w lustro spowodowało, że koszmar powrócił. Strach z oczu nie zniknął. Nie zniknęło też triumfujące zło, a ona sama została zepchnięta gdzieś w głąb duszy, zbyt słaba, by się obronić. Zamyślona i zaniepokojona snuła się po domu. Przechodziła właśnie obok szafy, kiedy ciężkie, metalowe żelazko spadło z samego szczytu mebla, uderzając w posadzkę z kafelków. Gdyby się zatrzymała ostry czubek żelazka trafiłby ją w głowę. Podłoga została uszkodzona. Kawałek odłamanego kafelka potoczył się wprost do jej stóp. Schyliła się, by podnieść żelazko.

- To ci już nie da spokoju - znów dziwne myśli jak z najgorszego horroru nie chciały zniknąć z jej umysłu. - To cię ściga i dopadnie.

- Co się stało? - na progu pokoju pojawiła się ciocia mocno zaniepokojona hałasem.

- Żelazko spadło - Saskya próbowała wyjaśnić, chociaż sama zdawała sobie sprawę, że to żelazko nie powinno spaść.

- Samo nie spadło - zauważyła ciocia.

Za ciocią przybiegł wujek. Zobaczył dziurę w kosztownej nowej podłodze i przestał być miły. Ciężko pracował na luksus ogromnego, ładnie urządzonego domu. Saskya czuła się winna, ale nic nie potrafiła zrobić, ani tym bardziej racjonalnie wytłumaczyć co się stało i jak.

- A co to za hałasy były w nocy? - wujostwo wyraźnie już zaniepokojone postanowiło przeprowadzić poważną rozmowę z dziewczyną.

- Jakie hałasy? - zapytała głupio, chociaż wcale nie zamierzała nadużywać cierpliwości cioci.

- Ktoś chodził, trzaskał drzwiami - usłyszała od cioci. Przypomniała sobie noc, w którą wizje były tak głośne i realne, a słowa ktoś wypowiadał wprost do jej ucha. Wiedziała jednak, że tylko ona je słyszała.

- To chyba duchy - tym razem nadużyła już mocno nadszarpniętego zaufania i cierpliwości serdecznych jej ludzi. Coś popsuło się we wzajemnych relacjach. Mimo to, do końca jej pobytu byli mili.

Czekała więc na powrót i ostatni rok nauki w liceum, a potem maturę i dalsze życiowe decyzje. Nie przypuszczała jednak jak ogromna czekała ją bitwa, którą stoczyć będzie musiała sama.

&&&

Nieco bardziej skryta w sobie rozpoczęła ostatni rok przygotowań do matury. Każdej nocy pojawiał się podobny sen, który dla niej był istnym koszmarem. Niepokój pojawiał się jak tylko gasiła wieczorem światło. Wówczas spieszyła do małej lampki w rogu pokoju, by nikłe światło podtrzymało ją na duchu przez kolejną noc. Ledwo zdążyła usnąć, pojawiał się tuż obok mężczyzna, który nożem celował prosto w jej serce. Przy kolejnym spotkaniu nie wytrzymała, ogromne zmęczenie spowodowało, że tylko bardziej odczuwała wściekłość na bezsilność jaka ją ogarniała i na ową postać grożącą jej co noc. Rzuciła się na mężczyznę, sama chcąc wyrwać mu nóż. Zdążyła dostrzec zaskoczenie w nieprzyjemnych oczach wroga i nagle obudziła się.

Innym razem coś usiłowało pozbawić jej sił życiowych poprzez wciskanie w jej własne łóżko, które - miała wrażenie - zapadało się i wciągało ją.

- Obudź się, bo umrzesz - słyszała cichy nakaz gdzieś obok. Zdołała się obudzić i od tej pory pilnie ćwiczyła jak samoistnie przerywać niepożądany sen. Nauczyła się przechodzić w miarę świadomie przez fazy snu, obserwując i rejestrując co się z nią dzieje. Ona spała, ale umysł słyszał co dzieje się dookoła i jeśli spała w dzień, potrafiła zobaczyć co dzieje się w kuchni i pokoju rodziców. Słyszała ich rozmowy, słyszała lepiej i więcej kiedy spała. Nauczyła się spać snem bardzo czujnym. Nie interesowało jej jednak nic poza tym, by poradzić sobie ze strachem i wrócić do w miarę normalnego życia. Nie chciała wiedzieć więcej, już nie była ciekawa. Teraz po prostu się bała. Nie wiedziała gdzie szukać pomocy i co tak naprawdę jej się przytrafia.

W szkole została posądzona o branie narkotyków. Sarkastycznie uśmiechnęła się do siebie. Nie potrzebowała narkotyków, by mieć wizje. Przestała spotykać się ze znajomymi. Zraziła się kiedy koleżanka po prostu się jej przestraszyła i uciekła.

- Ja się boję, ja nie chcę zwariować - powiedziała znajoma i więcej Saskya jej nie zobaczyła. Czując tym większe osamotnienie, postanowiła nie narażać się na kolejne zwierzenia.

Dni płynęły samotnie i cicho. Szkoła, treningi i nauka do późnej nocy. Na imprezy nie było czasu. Chciała robić i uczyć się zbyt wiele rzeczy naraz. Musiała zarzucić lekcje gry na pianinie, bo po prostu nie wyrabiała się ze wszystkim.

Zmęczona wróciła do domu po kolejnym dniu w szkole. W roztargnieniu zjadła serek waniliowy i zamiast wyrzucić pudełko, włożyła je z powrotem do lodówki.

Zadzwonił telefon.

- Cześć, tu Ivi. Co tam u ciebie? Nie odzywasz się tyle czasu - przyjaciółka z którą wydawała się być tak blisko jeszcze rok temu wyraźnie miała żal, że Saskya nawet nie zadzwoniła po powrocie z wakacji, a był już grudzień.

- Ja... - Saskya zupełnie nie wiedziała co powiedzieć, jej głos załamał się kiedy chciała wytłumaczyć coś, czego sama nie rozumiała.

- Coś się z tobą dzieje - przyjaciółka wysnuła wniosek całkiem słuszny i namówiła Saskyię na spotkanie.

&&&

Spotkały się w parku, w środku dnia, słońce nawet przebijało się poprzez chmury. Saskya, zachęcona, opowiadała swoją historię. Im dłużej mówiła, tym bardziej czuła, że informacje dotąd skrywane wręcz wylewają się z niej.

- Ja się zaczynam bać - powiedziała Ivi, kiedy Saskya zamilkła, bo nie było już nic więcej do dodania. - Robi mi się czarno przed oczami - Ivi nie żartowała. - Jakbym widziała ciemność.

- Ja tak mam cały czas i nie wiem co z tym zrobić - wyznała Saskya.

- Mam pomysł - Ivi mimo strachu ożywiła się. - Znam kogoś, kto może ci pomóc.

&&&

Na krańcu miasta, na dole dziesięciopiętrowego bloku mieszkaniowego, prawie w piwnicy, znajdował się gabinet mężczyzny, który przyjmował jako psycholog, ale pisano o nim w gazetach, że przepowiadał też przyszłość.

- Nie mam dziś czasu - obie usłyszały na wstępie. - Musicie poczekać.

Weszły do poczekalni i posłusznie usiadły w długiej kolejce. Wydawało się, że przychodziły tutaj po pomoc tłumy. Czekały prawie godzinę i nie miały odwagi głośno rozmawiać. Były ostatnie w kolejce.

- No, to zapraszam - mężczyzna pożegnał ostatnią osobę i zwrócił się do dziewczyn, które zostały już same w poczekalni. Nagle Saskya poczuła się strasznie głupio i nie na miejscu. W czym ona mogła tu uzyskać pomoc? O czym ona ma mówić? Przecież nawet nie wie jak sprecyzować to, z czym przychodzi.

- No słucham - mężczyzna usiadł za biurkiem i patrzył przez okno, nie zaszczycając dziewczyn nawet jednym spojrzeniem. Ivi zdawała się być bardziej wystraszona niż Saskya, która żyła ze strachem na co dzień i zdążyła się już przyzwyczaić do tego stanu.

- Wydaje mi się, że magicznie coś wywołałam - powiedziała Saskya i zamilkła zdając sobie sprawę z absurdalności tego zdania.

- Kto obcuje z czarną magią, zostanie potępiony - mężczyzna za biurkiem wręcz zagrzmiał głosem potężnym i donośnym.

Saskya gwałtownie się roześmiała, a Ivi przeraziła jeszcze mocniej, bo znalazła się wśród dwóch osób, co do których nie była pewna, która jest bardziej pomieszana umysłowo.

- Dzieciaku! - mężczyzna mówił dalej. - Ty nie zdajesz sobie sprawy z tego, co zrobiłaś. Niedawno miałem trzech delikwentów, co się bawili w satanizm. Dwóch z nich już nie żyje - tym razem mężczyzna spojrzał prosto w oczy Saskyi, a ona już się nie śmiała. Powrócił ogromny strach narastający każdej nocy, kiedy wydawało jej się, że walczy o życie. - A trzeci jest bez nóg - dodał mężczyzna.

Rozmowa trwała długo. Saskya mimo widocznego fanatyzmu w oczach mężczyzny, postanowiła mu zaufać. Podobała się jej jego waleczna postawa przeciwko złu i uczucie nadziei jakie powoli w niej kiełkowało, że uda jej się przezwyciężyć intruza, który niepostrzeżenie wkradł się w jej życie.

- Wyciągniemy cię z tego - słowa otuchy jakie otrzymała dały jej siłę, by samej działać. Instrukcje były proste, ale wymagały codziennej dyscypliny. Nie miała wyboru, albo ona, albo jej życie pozostanie koszmarem. Do tego jak tak dalej pójdzie, nie zda nawet matury.

To był dopiero początek walki. Teraz, kiedy usiłowała się uwolnić, ataki stały się silniejsze i częstsze. Tuż przed wyjazdem do Częstochowy na nocne czuwanie rozchorowała się tak, że całą noc leżała z wysoką temperaturą, nie mogąc się ruszyć.

- Pojadę - mówiła do siebie. I pojechała.

&&&

Jak zwykle późnym wieczorem w blasku małej świeczki pozostawionej na biurku, Saskya położyła się spać. Wycieńczona nauką nie miała ochoty na nocnych intruzów, których cień czaił się już gdzieś w kącie pokoju. Starała się nie patrzeć na ciemną postać, której obecność wyczuwała.

- To nie istnieje - wmawiała sobie.

Nic z tego. Może i to nie istniało, nie ulegało natomiast wątpliwości, że gdy tylko usnęła, cień zbliżył się do jej łóżka. Przez sen czuła, że jej siła życiowa ucieka, jakby strużką, jej cała energia sączyła się w kierunku pochylającego się nad nią cienia. Widziała go, lecz jej ciało leżało bez ruchu, oczy były zamknięte. Obserwowała własne ciało, z którego ucieka życie. Zmobilizowała się po raz kolejny i jednym wysiłkiem obudziła się. Wycieńczonemu ciału nakazała wstać. Sięgnęła po tajemniczy, mały przedmiot, prezent od jej babci, ofiarowany w sekrecie i rozpoczęła prawie conocny rytuał odprawiania intruza. Niewiele czasu pozostało na sen, rano kolejna klasówka, może przepytywanie przez nauczycieli, ale nie była w stanie przejmować się jeszcze i tym.

Kwiaty Babci

D zwonek wzywał na lekcje. Saskya zdążyła pojawić się w klasie,
chociaż wbiegła ostatnia.

- No tak - jej wychowawczyni nie była osobą, którą Saskya z
przyjemnością oglądała o poranku. - Podkrążone oczy. Czy ty nie
bierzesz przypadkiem narkotyków? Ja poproszę rodziców do szkoły na
następne zebranie. No to usiądźcie dzieci - bamboszki. Popytamy sobie
dzisiaj. Zobaczymy czy wszyscy przeczytali „Lalkę".

- Aldona, w którym roku urodził się Wokulski?

Aldona, dziewczyna siedząca w ostatniej ławce rozszerzyła z
przerażeniem oczy. Nie tyle z niewiedzy ile z zaskoczenia i
spowodowanego tym stresu o ósmej rano. Wychowawczyni miała
wybitny talent do tworzenia napięcia. Napięcie to utrzymywało się
stale podczas jej lekcji i nigdy nie spadało ani odrobinę, a jeśli tak
się wydawało, wychowawczyni natychmiast tę sytuację korygowała.
Wchodząc na jej lekcję nigdy nie wiadomo było czego i kiedy
oczekiwać. Pozornie nic nie mogło się przytrafić poza językiem
polskim. W praktyce przytrafiało się poniżanie, brak szacunku dla
ucznia i wiele innych nieprzyjemnych sytuacji.

Saskya po siedmiu godzinach z ulgą opuściła szkołę. Wyjeżdżała
dziś na wieś, do babci, tylko na weekend. Odwiedzała ją coraz rzadziej.
Miała coraz mniej czasu, coraz więcej nauki i coraz więcej dziwnych
problemów pojawiało się w jej życiu. Nawet u babci musiała się uczyć,
ale miały trochę czasu dla siebie. Były same. Angelika wyemigrowała
z mamą do Stanów Zjednoczonych, kiedy obie siostry miały po

piętnaście lat. Odtąd pisały do siebie długie listy, a dzwonić mogła tylko Angelika, bo koszty za połączenie z Polską były ogromne. Ta noc miała być spokojna. Zawsze kiedy zmieniała miejsce swojego pobytu, nieproszony gość odnajdywał ją dopiero po kilku dniach. Tutaj czuła się bezpiecznie. Saskya usypiała wśród bujnych kwiatów babci. Czuła się jak w dżungli, ponieważ kolor zielony dość mocno przeważał w pokoju i tak pełnym mebli. Prawie już spała, gdy usłyszała szepty kwiatów. Czuła jak pochylają się nad nią, tocząc cichą rozmowę między sobą. Pytały się kim jest. Były wyraźnie zainteresowane jej obecnością. Dziewczyna delikatnie się uśmiechnęła. Wbrew wszelkim zasadom mówiącym o zakazie trzymania kwiatów w sypialni, Saskya obudziła się wypoczęta i miała poczucie jakby została uzdrowiona z koszmarów ostatnich miesięcy.

- Dziękuję - wyszeptała do kwiatów i jeszcze na chwilę przymknęła oczy, by tym razem spróbować samej nawiązać z nimi kontakt. Liście kwiatów znów zaczęły się poruszać. Ich szepty brzmiały w jej głowie, a ona słuchała. Nie rozumiała tego języka, odbierała tylko ukojenie, troskę, zainteresowanie, harmonię i delikatność. Wszystko to, czego tak bardzo potrzebowała i czego jej zabrakło.

Pół roku później zdała maturę. Lęki i sny stopniowo ustępowały. Jednak jej umiejętności dopiero zaczęły się rozwijać.

Lustro

Saskya czuła ogromny przymus nauki i rozwoju. Nie chciała znów popełnić tego samego błędu jak dzisiaj w nocy. Co ją podkusiło, by przemeblować pokój i położyć się spać na wprost lustra, które było częścią jej szafy. Ledwo zdążyła usnąć, a po drugiej stronie tafli dostrzegła cień zbliżający się do niej. Nie mogła mu pozwolić przekroczyć progu lustra. Obudziła się szybko, by przerwać tę niezapowiedzianą i niechcianą wizytę.

Musi się dokształcić i pamiętać następnym razem, że nie zasypia się na wprost lustra.

Wiele czytała, ale wiele też uczyła się na własnych błędach, na szczęście wykazywała już sporo ostrożności w swych eksperymentach.

&&&

- No i się wylizała, znaczy się nie wraca jeszcze - czyżby Miren był rozczarowany.

- To jeszcze nie koniec - Fruit przestał na chwilę relacjonować wieści z Ziemi. - Ona tam kilkanaście lat przeżyła, nie wie nadal kim jest. Podjęliście w końcu decyzję?

- Ależ Fruit, nie można podejmować decyzji pod presją! To są poważne sprawy! My nie możemy tak po prostu wejść w ten świat. Myśmy nawet próbowali - im dłużej Alora się tłumaczyła, tym mniej wiarygodnie brzmiała dla Fruita. Ledwo powstrzymał się od nazwania ich wszystkimi baranami, ale groźba nieuchronnego pytania, które by padło: co to są barany, skutecznie go powstrzymała.

- Czy macie jakieś propozycje zatem? - zapytał z rezygnacją.

- Ależ nie ma się co spieszyć. Jak na razie poradziła sobie bardzo dobrze. Może nie warto ingerować.

- Prędzej czy później ktoś się nią zainteresuje, znów ktoś z innych światów. Plotki rozchodzą się szybko. Nie wysłaliście jej tam, by trzymała balans. Którychś z tych światów przyjdzie zapytać o nią.

- Zawsze może być zajęta gdzie indziej. Poza tym odmówiła, to i my też możemy.

- Ale będą jej szukać. I jak tu jej nie znajdą to jak myślicie, gdzie będą dalej szukać? - czy Fruit nadal miał nadzieję, na usłyszenie czegoś rozsądnego?

- Nic na to nie poradzimy, naprawdę musimy to przemyśleć.

Fruit ciężko opadł na krzesło, które chyba właśnie się zmaterializowało, chociaż do końca nie był pewien. Jakoś czuł, że za nim powinno być krzesło. Okazało się, że było, więc nie rozmyślał o tym dalej. Szepty wypełniały salę. W końcu odezwała się Liona.

- Będzie dla nas ogromnym zaszczytem - zaczęła prawie uroczyście - wysłać cię w naszym imieniu na Ziemię.

- Ziemianie nazywają to na zwiady - dodała zadowolona Alora.

- Skąd taki pomysł, że będę zainteresowany? - Fruit poczuł, że robi mu się gorąco. Owszem odwiedzał Ziemię regularnie, ale nie wiedział jakie plany ma Rada i na ile swobody będzie mu dane. Jeśli będzie miał się wcielić, to przepadł. Nie ma szans, utraci całą osobowość i wiedzę wieków, z której był tak dumny.

- Ależ to jest honor. My byśmy sami chcieli, ale nie możemy.

- Nie zgadzam się na inkarnację - Fruit jakby przeczuwając najgorsze, skrzyżował ramiona na piersi w geście: nie odpuszczę.

- Ależ nie musisz. Wszystko będzie na twoich warunkach - zachęcał Miren.

- Ziemia to nie tylko inna planeta, to kompletnie inna konsystencja i wymiar, inne częstotliwości, mogą niepokojąco wpłynąć na moją świadomość, jeśli zostanę tam dłużej.

- Zatem będziesz się pojawiał i znikał.

- Tak, właśnie - potwierdzili pozostali.

- Zatem postanowione, będę jako duch.

- Ale czy ona cię zobaczy?

- Śmiem podejrzewać, że na tym etapie na pewno tak.

- Zatem postanowione! Pomyślnych wirów międzywymiarowych!

Fruit skłonił się nisko i opuścił salę. Dobiegły go ciche głosy:

- Ale jesteśmy pomysłowi! A mówiłam, żeby poczekać z decyzjami!

Jak nie można podjąć decyzji to trzeba czekać! I znów się sprawdziło!

W poszukiwaniu
osobistej mocy

Saskya wiodła życie typowej Ziemianki zajęta ziemskimi, albo raczej przyziemnymi problemami: studiami, pracą, pierwszymi miłościami i rozczarowaniami. Podjęła decyzję już dawno, ale to teraz nadarzyła się sposobność.

Z biletem w jedną stronę i torbą podręczną weszła do samolotu. Czuła się gotowa na jeden z najodważniejszych kroków w swoim życiu. Podpisała kontrakt, dostała pracę. W Londynie nadal potrzebowano pracowników socjalnych, psychologów, terapeutów. Możliwości szkoleń, dodatkowych awansów kusiły.

Raz jeszcze przed oczami stanęło jej życie sprzed ostatnich kilku lat. Nie żałowała, że wyjeżdża. Niewiele trzymało ją w kraju, w którym życie było według niej trudne, ciężkie i szare. Całe studia przeszła tak, jakby zupełnie tego nie zauważyła. Znaczy się, nie było ciekawie. Brak perspektyw na lepszą przyszłość odbierał nadzieję. Jakiś czas myślała, że los się odmieni, lecz zrozumiała, że jeśli ona czegoś nie zrobi, to absolutnie nic w jej życiu nie zmieni się na lepsze. Wręcz przeciwnie, z latami było coraz gorzej i coraz ciężej. Garstka przyjaciół i rodzina, którą zostawiała poruszały jej serce. O reszcie mogła i chciała zapomnieć. Zbyt wiele rozczarowań, zbyt wiele cierpienia i niezrozumienia wypełniało jej życie.

Chociaż wiedziała, że ludzie boją się tego, czego nie rozumieją, krytykują i negują rzeczy, które uznają za dziwne, to jednak bolało.

Rozumiała ludzką naturę, lecz uczucie przykrości pozostawało nieprzyjemną ranę w sercu. Spokojnie zmierzała do swojego miejsca. Miejsce przy oknie zachęcało, a blask porannego słońca dodawał odwagi. Późne lato wciąż jeszcze królowało w Warszawie. Była gotowa zostawić swoje dotychczasowe życie w tyle. Starszy mężczyzna pomógł jej wstawić bagaż na górną półkę, uśmiechnął się i poszedł nieco dalej. Usiadła, zamknęła oczy i delektowała się spokojem. Samolot wystartował. Saskya wyglądała przez okno aż do momentu kiedy całkiem niespodziewanie usnęła.

Spała, ale nie była w stanie odróżnić jeszcze przez chwilę, że śni. Gdzieś w oddali słyszała głos stewardesy. To myliło. Spojrzała na swoje nogi i nagle się przeraziła. O mój Boże, powiedziała do siebie: mam penisa! Ma autentycznie gigantycznego penisa. Jejku, jestem facetem.

- Oj przepraszam! Masz na imię Siske! Pamiętasz? - zabrzmiało gdzieś obok. - Coś musiałem pomylić, naprawdę przepraszam. Celowałem w gościa siedzącego obok. - Fruit gwałtownie wydostał się ze śniącego ciała Saskyi, która równie gwałtownie wybudziła się ze snu z ogromną ulgą.

Odwiedziny

M ieszkanie było małe. Okrutnie małe i drogie. Właśnie się zadomowiła, odpisywała na emaile. Tylko dźwięk stukania w klawiaturę zdradzał, że ktoś jest obecny w mieszkaniu. Czy jej się wydawało, czy to atmosfera w pokoju nagle się zmieniła. Jakby była obserwowana.

Fruit stał w przedpokoju i spoglądał na nieco wystraszoną kobietę, która coś odczuwała, ale przecież go nie widziała. Jeszcze przez chwilę wahał się czy ujawnienie się to dobra decyzja. Na pewno mało rozsądna, ale może sprawa wymaga radykalnych rozwiązań. W końcu podjął męską, uznał decyzję. Po co to robi? Jeszcze tylko chwila wahania. Mając zupełnie inną orientację w kwestii płci, zdziwił się czując raczej silne przyciąganie do Saskyi. Nie, wcale mu się nie podobała jako kobieta. Ona go fascynowała! To pewnie te ziemskie wibracje. Muszę bardzo uważać, pomyślał i odważnie wszedł do pokoju, lekko stuknąwszy w otwarte na oścież drzwi.

Saskya zerwała się na nogi, wcale nie równo, mało nie upadła i zamarła.

- Nie chciałbym przeszkadzać, jednak pozwolę sobie na ten mały...
- Fruit, zupełnie jak to nie on zaczął się jąkać i stracił swoją zwykłą pewność siebie. Ona wyglądała strasznie, potężnie, jakże pełna mocy i przerażająca!
- Jak pan tu wszedł?! - zagrzmiała, co miało być pytaniem.
- No więc... hmmm... przechodziłem obok i...
- Jak, na Boga? Przez zamknięte drzwi w korytarzu?

- Ja to wszystko wytłumaczę.

- Z pewnością...

- Było otwarte.

- Zapewniam, że nie było!

- To wszystko kwestia interpretacji... - Fruit uniósł zwyczajowo swoją rękę w geście mówiącym: nie przerywaj mi, bo ona już chciała protestować. - Mam powód, by niepokoić cię swoją obecnością.

- Mam szczerą nadzieję, że masz dobry powód - zdążyła się wtrącić. Fruit stracił wątek. Co on jej powie? Przecież ona wszystko zapomniała, teraz ma tylko przebłyski jak puzzle, które dopiero układają się w obrazy.

- Czy miewasz wizje? Czasem?

- Czy my się znamy, że ty tak na ty?

- I tak i nie....

- To dyplomatyczna odpowiedź, no więc ja też ci odpowiem: to zależy co masz na myśli.

- No wiesz, w medytacji, w snach, spontanicznie jakieś obrazy w głowie.

- Powiedzmy, że się zdarza - Saskya chciała być ostrożna, ale dotarło do niej, że zamiast wyrzucić intruza zaciekawiona zaczęła z nim rozmawiać.

- To dobra odpowiedź, gdybyś była zawsze taka ostrożna i powściągliwa, to by mnie tu nie było. Powiedzmy, że jesteś zamieszana w pewne afery międzyświatowe.

- Międzynarodowe chyba, i nic takiego sobie nie przypominam.

- Właściwie to nie. Dobrze powiedziałem...

- Gada jak wariat, ale nie wygląda na wariata, zrobię herbaty, pogadamy. Brzmi to inspirująco, potraktujemy jako rozrywkę, może napiszę bloga.

- Ależ żadne takie, żadnych publikacji, właśnie po to tu jestem...

- No właśnie po co?

- Jestem Fruit MS Jin, a ty jesteś Siske.

- O co chodzi z tą Siske?
- Czyli jednak coś wiesz...
- To może powiesz coś więcej, a ja ci powiem czy wiem. Czy wolisz domysły? Herbaty?
- Mięty bym się napił.
- Mam miętę.
- Wiem, lubiłaś miętę...
- Nie wiem czy lubiłam, ale lubię teraz.
- Słusznie - uznał, że na wszelki wypadek nie warto się sprzeciwiać, ważne, że kontakt został nawiązany. Może to nielegalne, ale jakoś się z tego wytłumaczy, jak będzie potrzeba.

Fruit trzymał kubek z miętą, wpatrywał się w niego intensywnie, jakby zbierał siły i szukał inspiracji w gorącym napoju. W końcu zaczął:
- Pozwalam sobie cię ostrzec. To co robisz, nie wszystkim się podoba.
- Nie rozumiem, kręcisz?
- Wiesz ja jestem takim... pośrednikiem.
- Chcesz mi coś sprzedać?
- Nie, pośrednikiem między światami.
- To ciekawe, nie wyglądasz jakbyś uciekł z psychiatryka.
- Sam bym poszedł w jakieś miejsce odosobnienia, ale świadomość mi nie pozwala. No więc pośredniczę między światami i Radą Najwyższych.
- A co to za rada?
- To taka... grupa, co powinna dbać o porządek w kosmosie, galaktyce itp., ale... powiedzmy, że potrzebują wsparcia i metody mają nieco powolne, albo przestarzałe, albo nie myślą... to znaczy myślą inaczej, na przykład o dekoracji swojego imperium. Zdarza się im zapomnieć historię, reinkarnacje i potem są różne... konsekwencje.
- A te światy?
- No, niektóre są nieprzyjemne, do tego niematerialne, większością nie zawracałbym sobie głowy.

- I co ja mam z tym wspólnego?

Fruit milczał. Ile wolno mu powiedzieć? I tak już się czuł jakby rozmawiał ze znajomą, która od niedawna zaczęła cierpień na amnezję.

- Muszę niedługo iść.

- Teraz to nigdzie nie pójdziesz, póki mi nie powiesz... Nie wolno się tak znęcać nad słuchaczem podając kawałek fantastycznej teorii i udając, że nie ma części dalszej.

- No dobrze, po prostu musisz być ostrożna, nie możesz szastać historią osobistą i jeszcze to publikować, znasz szamanizm, wiesz doskonale o co mi chodzi. Ja rozumiem, że masz pomysły, ale są granice, a ty uprawiasz ekshibicjonizm swoich myśli pełną parą! Jeśli mogę sobie pozwolić na sugestię, to przestałbym się tak eksponować na piśmie i werbalnie. To cię szufladkuje, jesteś łatwo namierzalna i wiele już istot chce ci zaszkodzić.

- Ludzi?

- Ja nie mam na myśli tylko ludzi...

Saskya patrzyła pytająco.

- A ilekroć się kłócisz z kimś, z najbliższymi, to czyja to robota, przecież to nagłe kłótnie i nie wiesz skąd. Naprawdę muszę iść, bądź ostrożna.

- Teraz mnie przerażasz i nigdzie nie pójdziesz...

- Obiecuję wrócić, naprawdę, muszę sam sobie to wszystko poukładać... - Fruit czuł, że traci formę ziemską i zaraz się rozpłynie. Jak pomyślał, tak zrobił, raczej nie kontrolowanie.

- Ja ci poukładam! - Saskya stała zezłoszczona, ale Fruit zniknął, jakby rozwiał się w powietrzu. Przez chwilę siedziała nieruchomo, starając się przeanalizować jeszcze raz rozmowę i wysnuć odpowiednie wnioski. Nie tylko była w szoku z powodu nagłego rozpłynięcia się dziwnego gościa, ale może liczyła na to, że znów śni, więc zaraz się obudzi. Chwilowo zastanawiała się, na co tak bardzo ma uważać. Później dotarło do niej więcej i zaczynała wątpić, czy to jej się przytrafiło realnie czy też była to wizja, i w którym momencie. Czy ona naprawdę z kimś rozmawiała? Oszaleję albo i nie, pomyślała, być może nie najmądrzej. Przytrafia mi się zbyt wiele wątków, rozmyślała. I wszystko jest połączone. To jak równanie matematyczne z gigantyczną ilością wiadomych i niewiadomych. Zanim dojdzie się do końca, zapomina się co było na początku. Rzeczywiście ignorancja lub zapomnienie bywają błogosławieństwem. W jakiś sposób chronią przed szaleństwem.

&&&

Ogromna komnata była mocno zaśmiecona. Kurz pokrywał wszystko. Saskya wzięła ogromną szczotkę i wzięła się do pracy. Zamierzała tu zamieszkać. Jeszcze przed chwilą było tu więcej osób, ale wszyscy uciekli w popłochu. Całkiem nagle rozległ się przerażający głos:

- Nikomu nie wolno tu mieszkać!

Ludzie się przestraszyli. Uciekli. Po chwili nikogo nie było, poza nią. Widziała tarantulę na podłodze. Spotkanie ze śmiercią czekało tu każdego kto chciałby zająć zamek.

- Kim jesteś głosie? Objaw się i opowiedz więcej - rzuciła w przestrzeń. Nie miała dokąd pójść, a miejsce wydawało jej się, no cóż, bezpieczniejsze niż inne.

Głos nagle zaczął przemawiać jak papież czytający przepowiednię, bądź opowiadający sekretną historię.

- To było miejsce dawnych szamanów, tutaj się chowali przed resztą świata, ktokolwiek inny chce tu być, spotka go śmierć. To miejsce chroni ludzi wiedzy.

Saskya nie bała się miejsca. Uznała, że je posprząta i tu zamieszka. Jakoś tu będzie bezpieczna mimo tych przepowiedni i przerażającego głosu wydobywającego się z komnat.

Dźwięk budzika wyrwał Saskyię ze snu. Uznała, że sen był całkiem akceptowalny i nawet jej się podobał. Dobrze wróżył jej zdaniem pobytowi w nowym miejscu.

Ciąg dalszy tej historii być może nastąpi...

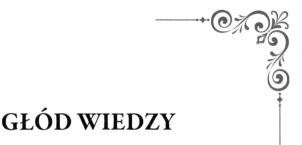

GŁÓD WIEDZY

O śmioletnia dziewczynka biegła w wielkim pośpiechu, ledwo łapiąc oddech, potykając się o własne nogi i o mały włos nie wpadając na przechodniów. Ulica miasta była zatłoczona. Słońce świeciło mocno, ale nie przeszkadzało to nikomu w pracy i codziennych obowiązkach. Saba dojrzała go stojącego na placu wraz z kilkoma innymi młodymi mężczyznami.

- Jezus! - krzyknęła najgłośniej jak tylko potrafiła.

Jezus odwrócił głowę w jej kierunku.

- Jezu musimy iść, długa droga przed nami, a słońce stoi już wysoko - powiedział Piotr. - Na co jeszcze czekamy?

- Na nią - Jezus ruszył wolno w kierunku małej biegnącej do niego dziewczynki. Zdążył się pochylić, kiedy ta wpadła mu w ramiona i się rozpłakała.

- Nie odchodź beze mnie - łkała. - Nigdzie nie pójdziesz, prawda?

Jezus tulił ją i nie odpowiadał czekając, aż mała trochę się uspokoi. Wiedział, że nie powinien tak po prostu odchodzić z miasta, wiedział, że ona nigdy go już nie zapomni. Może dlatego chciał szybciej odejść, bo jej droga jest inna. Byłaby zraniona, gdyby wiedziała...

Saba uspokoiła się i teraz odsunęła się na tyle, by spojrzeć mu prosto w oczy, oczekując odpowiedzi.

- Wrócę po ciebie - powiedział Jezus, ale Saba nie uwierzyła.

- Nie, ty sobie odchodzisz, ja wiem, że sobie odchodzisz. Słyszałam co ludzie mówią. Nie wszyscy cię lubią.

- Wrócę na pewno - w jego oczach Saba dostrzegła smutek. - Nie zapomnij o mnie. Ja o tobie nie zapomnę - Jezus położył rękę na jej czole i wyszeptał kilka słów, których ona nie zrozumiała. - Nie łatwa droga przed nami Sabo, ale ja wrócę. Zostań tu i ucz się ile tylko zdołasz. Nalegaj, by cię uczono. A jeśli będziesz potrzebować pomocy, wypowiedz te słowa... - Jezus nachylił się i wyszeptał do jej ucha.

- Sabo, gdziekolwiek będziesz, odnajdę cię.

Uwierzyła mu. Stała bardzo spokojnie widząc odchodzącego Jezusa wraz ze swoimi uczniami. Lubiła go słuchać. Nieważne co mówił, ale jego ciepły, pełen miłości głos przyciągał ją. Słuchała go jak melodii i bawiła się rysując palcem po piasku, kiedy inni byli wpatrzeni w niego. A kiedy kończył, ludzie ustawiali się w kolejce by kładł na nich swe ręce. Czekała na niego zawsze o zmierzchu i cicho siedziała, kiedy on wydawał się odpoczywać. Myślała, że odpoczywał, ale on się modlił. Tak jej powiedział.

- Po co się modlisz? - zapytała kiedyś.

- Nikt nigdy nie zadał mi tego pytania - Jezus się roześmiał. - Pokażę ci coś. Widzisz te dwa kamyczki? - Saba przytaknęła. - Patrz uważnie.

- Och! - Saba wydobyła z siebie okrzyk zachwytu, kiedy dwa kamyczki uniosły się do góry. - Ja też! Ja też! Jak to zrobiłeś? Pokaż mi tę sztuczkę jeszcze raz - złożyła rączki i klasnęła. Teraz naprawdę go słuchała.

- To tylko sztuczka - przypominał Jezus, ale ona już pochłonięta była ćwiczeniem, by samej móc unieść kamyczki. - Modlitwą można o wiele więcej.

- Zobacz! Unoszą się - klasnęła znów w ręce, a kamyczki spadły na piasek.

- Bardzo dobrze ci idzie - pochwalił ją.

Tyle ją nauczył. Jak ona znajdzie takiego nauczyciela.

- Ty nie odchodzisz - szeptała do siebie. - To nie prawda! Widzę nieprawdę. Nie ma co patrzeć na nieprawdę - spoglądała jeszcze przez chwilę w stronę coraz bardziej oddalającego się Jezusa. Wolno odwróciła się i nadal bardzo spokojna wracała do domu, do rodziców. Rodzice się martwili.

- Nie ma pieniędzy. Saba musisz iść do pracy.

- Ale ja chciałam się uczyć.

- Na co ci nauka? Dziewczynkom niepotrzebna jest nauka.

Saba pomagała w gospodarstwie. Jezus nie wracał. Minął rok, a potem drugi. Traciła wiarę, że on wróci. Daleko jej było do spokoju. Czuła się uwięziona, nieszczęśliwa. Biedni rodzice nie mieli czasu nawet o niczym pomyśleć, tak ciężko pracowali. Saba miała jeszcze kilka sióstr i braci, ale z nikim nie mogła porozmawiać. Nikt nie miał czasu na rozmyślania. Może nawet kiedyś próbowała.

- Filozofka jakaś się znalazła. Lepiej się skoncentruj na robocie - poczuła się zgaszona słysząc te słowa.

Pewnego dnia, trzynastoletnia już Saba udała się do świątyni. Jak miała się uczyć, skoro nie było jej wolno? W świątyni znajdzie mędrców, którzy ją nauczą, rozmyślała.

- Co tu robisz dziewczynko? - zapytał kapłan.

- Chciałam się uczyć.

- Ty? - kapłan zaśmiał się, a Saba poczuła się nagle słaba i nic nieznacząca.

- Tak, ja - odparła dumnie.

- Nie uczymy dziewczynek.

- Ale ja muszę się uczyć, proszę mnie uczyć.

- No, no, odważna mała. Nic z tego. Nie wolno nam łamać reguł.

- A mogę się pomodlić?

- A masz na ofiarę?

- Przyniosę potem.

- No, możesz dać inaczej.

Saba spojrzała na kapłana uważniej. Czy jej się wydawało, czy ona już o czymś takim słyszała.

- To ja się pomodlę najpierw, a potem wyjdę tymi drzwiami.

Kapłan rozejrzał się po okolicy. Nikogo w pobliżu. To się może udać, uznał.

Saba widziała raz, gdzie trzymają księgi. Nie wiedziała czego szuka, ale miała mało czasu. Kapłan stał na zewnątrz, pilnując wejścia. Ona znała inne wyjście. Bywała tu z Jezusem. Z nim mogła wejść wszędzie. Nikt nie zwracał uwagi na małą dziewczynkę, a ona się uczyła przy Jezusie czytać. Ale którą księgę wybrać. Było ich tyle. Zakazane księgi. Przeczytała napis. Szczególnie jedna przyciągnęła jej uwagę. Alchemia i inne... Napis był zatarty. To musiała być niezwykle stara księga. Wzięła dwie. Saba miała na sobie bardzo długą luźną sukienkę. Musiała się spieszyć. Z zewnątrz dochodziły głosy rozmowy. Widocznie ktoś jeszcze przyszedł. Wycofała się tylnym wyjściem. Miała szczęście. Po prostu nie było nikogo. Do domu szła okrężną drogą. Najpierw uznała, że będzie bezpieczniej schować księgi. Są takie miejsca, gdzie nikt nie chodzi. Ona właśnie tam zmierzała. Pustynne tereny, dość niebezpieczne dla samotnych wędrowców. Powiadano, że nieczyste siły tam mają władze. Tym bardziej miała pewność, że tam nikt nie będzie szukał. Nie czuła strachu. Była tylko w popłochu, by udało jej się schować księgi. Właściwie, to czemu nie zacząć ich czytać już teraz?

Czytała zatem, a na jej policzkach zaczęły pojawiać się wypieki. Nie miała pojęcia o wielu sprawach. Jezus nic jej o tym nie mówił! Czemu miałby zatajać część wiedzy przed nią? Uśmiechnęła się do samej siebie. Im więcej czytała, tym pewniej się czuła. Czytała więc dalej, bo podobało jej się przyjemne uczucie przenikające całe jej ciało.

Zaczynało zmierzchać i okolica robiła się nieprzyjazna. Mocno nieprzyjazna. Saba ukryła księgi i ruszyła do domu.

- Gdzie byłaś tyle czasu? - powitała ją rodzina. - Tyle roboty, a ty sobie na wycieczki chadzasz? Jak możesz?

Saba dziś popatrzyła na nich zupełnie inaczej. Nie, to nie ich wina, że jej nie rozumieli. Żyli tak, jak potrafili najlepiej. Mieli obowiązki i musieli je spełnić. Dawali jej dach nad głową. Zawsze do nich wracała, bo nie miała gdzie pójść. No i coś ją do nich ciągnęło. Czasem ją ranili, ale tłumaczyła sobie, że to dlatego, że jej nie rozumieją. Pracowała zatem do późna sortując ziarna i ubijając część z nich.

Ranek był słoneczny, Saba wstała szybko i intensywnie myślała co tu zrobić, by wymknąć się i postudiować księgi.

- To ja pójdę do miasta i przyniosę - ofiarowała się kiedy tylko ktoś narzekał, że trzeba po coś iść.

Weszła do sklepu, zastając tam kilka kobiet rozmawiających przyciszonymi głosami. Podeszła cicho bliżej i usłyszała.

- Wykradziono, ale nie wolno tego rozgłaszać, bo przecież to honor świątyni.

- A co tam i tak wszyscy będą gadać.

- Dlatego się boją, ale wyznaczyli nagrodę za złapanie złodzieja. No i obetną mu ręce.

Saba zadrżała.

- O, mamy klientkę. Co tam znowu familia potrzebuje. I ciebie wysłała co? Dobra z ciebie dziewczynka.

Saba pobiegła z zakupami do domu. Nie mogła nikomu nic powiedzieć. Wiedziała, że musi uciekać, ale ksiąg nie odda. Nie czuła się złodziejką. Popatrzyła na rodzinę po raz ostatni. Wymknęła się z izby z prowiantem. Zabrała też nieco jedzenia ze spiżarni. Nikt nie zwracał na nią uwagi. Wszyscy zajęci pracą, krzątali się wokół.

O zachodzie słońca była już daleko od domu i miasta. Pustynny krajobraz wcale nie zachęcał. Wzięła ze sobą światło. Pamiętała co Jezus mówił o świetle. Nie słuchała uważnie, ale coś pamiętała. Na wszelki wypadek wzięła ze sobą.

Nie była w stanie już dalej iść. Koc, który wzięła, teraz bardzo jej się przydał. Usnęła prawie natychmiast. Nie dane jej było przespać całej nocy. Koszmary senne budziły ją co jakiś czas. A to ktoś wyciągał po nią ręce, a to ktoś jęczał tuż przy jej uchu. Kolejny raz, wyczerpana, usnęła dopiero nad ranem. Nie czuła się najlepiej. Nie wiedziała dokąd pójść, ale wrócić nie mogła. Tu dobrze nie jest, ale nie chce mieć odciętych rąk, jeśli w ogóle by przeżyła. Oglądała kiedyś torturowanych i dziwiła się, czemu dorosłych bawią takie pokazy. Krzyżowanie ludzi było wręcz rozrywką tłumu. Wzdrygnęła się i ponownie usnęła. Obudził ją żar słońca, parzącego prosto w twarz. Miała wodę i pogratulowała sobie w myślach, że pomyślała o najpotrzebniejszych rzeczach. Znalazła cień, pożywiła się, czytając dalszą część księgi i lekko się uśmiechając. - Ciekawe kiedy będę mogła wykorzystać tę wiedzę? Elementy ciała i wokół. Wszystko się łączy. Bardzo, ale to bardzo ciekawe. Szczególnie podstawowy element ciała. Czytanie wprawiło ją w dobry nastrój. Ruszyła dalej. Nie zbliżała się do miast, chyba że w nocy, by uzupełnić wodę i prowiant. Im dalej, tym lepiej rozmyślała. Taka podróż trwała miesiącami. Lektura pozwalała jej nie rozmyślać o niedogodnościach, oddalać strach, który teraz coraz bardziej się czaił obok. Nie wiedziała przecież dokąd zmierza i co się z nią stanie. Czy uda jej się odejść wystarczająco daleko?

&&&

Straciła rachubę czasu. To już ostatni dystans. Jakiekolwiek to jest miasto, tu zostanie. Nie chce iść dalej. Nie ma już sił. Przeczytała już obie księgi nie raz. Ćwiczyła pilnie. Czasami rozmyślała o Jezusie. Już pewnie nigdy go nie zobaczy. Może wrócił po nią, ale teraz to ona odeszła. Nie mogła zostać. Może on ją zostawił, ale nauczył ją jak ćwiczyć. Tak wiele jej dał. Teraz już wiedziała jak nazywa się uczucie, którym tak go darzyła. Kochała go. Ale teraz sprzeczne uczucia opanowywały jej duszę. Raz była mu wdzięczna, raz była na niego zła, że ją zostawił. Innym razem była zła na siebie, że mogła z nim iść, ale dała się nabrać i go posłuchała. Jakże naiwna była, strofowała samą siebie.

Trudno było jej liczyć dni, pytała w miastach. Miała teraz około piętnastu lat. Rzadko rozmawiała z ludźmi. Nie chciała by ktoś ją zapamiętał. Od teraz to się musi zmienić. W tym mieście zdecydowała się zostać.

Bardzo szybko przekonała się, że bez pieniędzy nic nie załatwi. Po kilku godzinach siedzenia na bruku, po kilku łzach, wstała i ruszyła przed siebie niczym w transie. Zmierzchało. Szła tam, skąd płynęła muzyka, gwar rozmów i tam, gdzie życie nie kończyło się wraz z zachodem słońca. Nie podeszła do tych ludzi. Saba schowała się w cieniu i obserwowała. Pięknie umalowane panie, w kolorowych szatach i z uśmiechem na ustach przechadzały się ulicą. Wyglądały na bardzo szczęśliwe. Obok nich tłoczyli się mężczyźni. Co jakiś czas para odchodziła na pobocze w jakieś ustronne miejsce, bądź znikała w pobliskim budynku. Saba przyglądała się zaciekawiona. Gdzieś tam siedziała starsza kobieta z wyciągniętą ręką. Od czasu do czasu, ktoś wrzucił jej kilka drobnych.

Saba podeszła i usiadła obok.

Nie wiedziała jak się odezwać.

- Co tu chciałaś, kobieto?

Kobieto? Pomyślała Saba. Nie wyglądam już jak dziewczynka.

- Co się tutaj dzieje? Czemu te kobiety są takie szczęśliwe?

- Dobre sobie! - kobieta nagle roześmiała się. - Jakie tam szczęśliwe. Zarabiają na życie! Najstarszy zawód świata. Możesz się dołączyć, ale wyglądasz jak kocmołuch. Ja już jestem za stara, ale ty, jakby cię umyć, to niczego sobie.

- A na czym to polega?

- Ha! Co za naiwna, skąd ty jesteś? Urwałaś się z osła czy jak? Chodź ze mną. Można by cię sprzedać za dobrą cenę.

- Nie rozumiem.

- Pewnie dziewica, co?

Saba nie odpowiedziała, bo nie rozumiała o czym ta starsza kobieta mówi. Z ciekawości poszła z nią.

Dostała balię z wodą, gdzie mogła się wykąpać. Dostała wonne olejki, których nikt wcześniej jej nie ofiarował. Jej długie, ciemne włosy zostały rozczesane, chociaż nie było to proste, część kołtunów trzeba było odciąć. Dostała kolorowy proszek, którym mogła się pomalować. Zrobiono jej makijaż i nauczono jak ma to robić w przyszłości. Dostała piękną szatę, w którą mogła się ubrać. Po raz pierwszy spojrzała w zwierciadło. Kiedy zajrzała tam przed kąpielą nie przestraszyła się siebie, bo nie wiedziała czego się spodziewać, ale w tym makijażu zachwyciła się widokiem.

- Nie jestem jeszcze stracona. Moje lata świetności nie przeminęły - powiedziała starsza kobieta do siebie. - A teraz musisz na to zarobić.

Saba zmarszczyła brwi. O co jej chodziło.

- Ale zarobisz sporo. Za dobrą cenę. Pójdziemy do innej dzielnicy.

Wyszły obie w ciemną noc.

Okolica była mało przyjazna, ale Saba nie dostrzegała wiele. Wokół tylko ciemność, jakieś zwierzęta wyły w oddali.

- Tu przychodzą bogacze - kobieta zatarła ręce i odważnie weszła do środka budowli. Saba zawahała się. - No chodźże.

W środku ujrzała jeszcze piękniejsze kobiety niż na tamtej ulicy i sporo mężczyzn, leżących w alkowach. Nigdy nie widziała tak pięknych kanap, ozdób.

- Usiądź sobie, ja to sama załatwię.

Kobieta wkrótce po nią wróciła. Wzięła za rękę i zaprowadziła. Saba stanęła przed tłumem mężczyzn, którzy spoglądali na nią w sposób, który jej się nie podobał. Poczuła się nieswojo. Wolno kojarzyła fakty. I wtedy usłyszała.

- Cena wywoławcza...

Tego było za wiele. Pohamowała gwałtowny odruch ucieczki. Była ciekawa, co też będzie dalej. Od tak dawna nic się nie działo w jej życiu. Aż tu nagle dzieje się i to całkiem sporo. Patrzyła na przekrzykujących się mężczyzn. W kącie jednak siedział jeden, jedyny mężczyzna nie biorący udziału w licytacji. Przyglądał się jej. Przez chwilę Saba miała nadzieję, że to Jezus. Ale to nie był on. Całkiem młody, przystojny i postawny mężczyzna z błyskiem ciekawości w oku.

- Sprzedane! - usłyszała. - Za Sabą stanęło natychmiast dwóch strażników. W oddali starsza kobieta przeliczała pieniądze. Spojrzała na nią i się uśmiechnęła.
- Sprzedałaś mnie? - Saba nie mogła uwierzyć.
- Oczywiście - kobieta nadal się śmiała. - A co ty myślisz, że kąpiel, stroje są za darmo? Wszystko kosztuje - kobieta oddaliła się wciąż się śmiejąc.
- Idziemy - strażnicy złapali Sabę za ramiona i zaczęli wyprowadzać tylnym wyjściem. Przed pojazdem zaprzężonym w konie czekał stary, gruby i upity mężczyzna. Co za obślizgły gad, pomyślała Saba. Nie będę mogła w pełni wykorzystać moich zdolności na nim. No cóż, zaczniemy od mniej interesujących rzeczy.

Saba została niemal wepchnięta do powozu.
- Dalej poradzę sobie już sam - gruby mężczyzna wsiadł za nią. Wyglądał na całkiem z siebie zadowolonego. - Spokojnej nocy panowie. Pojazd ruszył.
- Daleko stąd mieszkasz? - zapytała Saba, lekko się uśmiechając mając już pewien plan.
- Niedaleko - mężczyzna sapnął i poluzował pasek u spodni. Zaczynał się mocować z własnymi spodniami, kiedy Saba pochyliła się nad nim.
- Co my tu mamy? - mężczyzna uśmiechnął się w nadziei szybkiego zaspokojenia.
- Nie wiele tu mamy - podsumowała Saba, a on się zdenerwował i krzyknął.
- Ssij suko! - złapał ją ręką za głowę i usiłował pochylić bardziej.

Saba wyszeptała słowa, których znaczenia sama do końca nie rozumiała, a mężczyzny ręka gwałtownie opadła. Opadła też inna część ciała. Saba roześmiała się.
- Ty czarownico! - w oczach mężczyzny pokazało się przerażenie. Oczy Saby rozbłysły żółtym światłem.

- Dawaj kasę grubasie - powiedziała, wciąż uśmiechając się. Wiedziała, że nie odda, ale jego oczy zdradzą, gdzie ją schował. Nie mógł się przecież ruszać, całe jego ciało było zdrętwiałe. Kasę trzymał w różnych miejscach.

- Niepraktyczne te ciuszki, chociaż ładne - narzekała Saba, przepakowując monety do swoich powabnych szat - pomyślę o tym później.

- Uwolnij mnie, ty szujo! - syknął mężczyzna.

- Nie rzucaj się, bo ci tak zostanie na zawsze. Biorę co mi się należy. Jesteśmy kwita. Dzisiejszej nocy jestem twoją sprawiedliwością.

- Nie jesteś Bogiem, by wymierzać sprawiedliwość!

- Ty też nie, a jednak chciałeś być moim bogiem.

Nagle powozem gwałtownie szarpnęło i stanął. Nastała głucha cisza. Po chwili drzwiczki karocy otworzyły się, ale nikogo nie było widać. Saba ciekawie spoglądała, aż w końcu ktoś się pojawi. Gruby mężczyzna nie mógł się ruszyć.

- Kto tam? - zapytała Saba, by jakoś przerwać tę niezręczną ciszę.

Bardzo ostrożnie w drzwiach ukazała się głowa mężczyzny, który jako jedyny nie licytował.

- Zapraszam do środka. Napada pan na karocę, czy pojawia się w celach towarzyskich?

Za głową mężczyzny wynurzyła się reszta ciała i jego oczom ukazał się bezwładny grubas z odsłoniętą częścią ciała, którą raczej nie mógł się pochwalić. Saba siedziała spokojnie po drugiej stronie.

- To nic się pannie nie stało?

- Mnie nie, ale jemu coś wyraźnie zaszkodziło. No to jak, napada pan, czy wpadł pan porozmawiać.

- Właściwie to panią ratować, ale widzę, że to zbędne.

- Wcale nie. Chętnie się przesiądę.

- Ale ja podróżuję koniem.

- Ach, to nie ma problemu. Na koniu jeszcze nie jechałam - Saba odważnie podała rękę gościowi. Uznała, że jest lepszy niż grubas i warto przesiąść się teraz.

- Nie jeździła pani nigdy na koniu? To będzie ciężko.

- Dam radę.

- Pomogę pani wsiąść. Ach, nie tak. Niewiasty tak nie siadają. Na jedną stronę. Proszę nie rozkładać nóg. Pani się zmiłuje, niewiastom nie wypada tak siadać.

- Obawiam się, że mnie już teraz wiele wypada.

- No dobrze, ale ja tego nie widzę.

- Słusznie. Należy nie dostrzegać tego, czego się nie chce.

- Wcale nie jestem przekonany.

- A co z grubasem? I woźnicą? Zabił go pan? Jest pan mordercą? - Saba zmieniła temat.

- Nie, do rana się ocknie.

- Aha, grubasowi do rana też odrętwienie powinno przejść. Chociaż nie wiem, jestem sama ciekawa ile go będzie trzymać.

- Jak to?

- Ach nic. Zdrętwiał nagle.

- Usiądę za panią - mężczyzna bardzo delikatnie objął Sabę, by sięgnąć po wodze.

- Proszę mnie nie dotykać! - nakazała Saba nagle i zaskoczyła tym samą siebie. Skąd taka reakcja?

- Przepraszam, ja nie chciałem, ja tylko muszę jakoś teraz konia prowadzić. To może pani usiądzie za mną? Tylko proszę się czegoś trzymać. Może siodła?

Ruszyli wolno, mężczyzna nie chciał ryzykować siniaków na ciele Saby.

- Całkiem miło - uznała Saba. - Ma pan imię?

- Dawid.

- Saba. Miło mi. Z tego rodu dawidowego co Jezus?

- Jezus? Ach, ten Jezus? A wiesz Sabo, Jezus niedawno był w naszym mieście. Wróci tu jeszcze, zapowiedział, ale teraz gdzieś dalej podróżuje.

Serce Saby zabiło mocniej tylko po to, by po chwili poczuła się rozczarowana. Był, gdzieś jest, ale go nie ma...

- Hmmm, z rodu Dawidów? Nie mam pojęcia. Tych Dawidów to tu na pęczki.

- Jesteś złodziejem? Nie licytowałeś, tylko poczekałeś aż ktoś mnie kupi...

- Bardzo złe wrażenie zatem zrobiłem. Jestem kupcem, ale zupełnie nie takim. Tam jednak można prowadzić najlepsze interesy, szczególnie jak panowie sobie popiją. Skupuję kamienie szlachetne.

W sercu Saby tym razem przemknęła iskierka ciekawości. Kamienie szlachetne.

- Masz żonę? - drążyła temat dalej.

- Nie mam ani jednej. Kupiłem kiedyś niewolnicę, ale nie była szczęśliwa. Dałem jej wolność zatem i tyle ją widziałem. Zabrała trochę kamieni szlachetnych.

- Przecież za to obcinają ręce. Ścigałeś ją?

- No coś ty. A jak ona przeżyje na tej wolności? Niech ma na drogę. Mogłem jej więcej dać, ale myślała, że ją zatrzymam. Nie chciałem jej. Kupiłem, bo coś mi tak kazało.

Czemuż on nie ma żon? Głowiła się Saba. Może woli panów? Tego pytania już jednak nie zadała.

- Uwaga, teraz będziemy kłusować. Trzymaj się mocno w siodle.

- Dobrze - Saba po chwili miała okazję doświadczyć podbijania jak worek z ziemniakami. - Stój, wyrzuca mnie w górę.

Dawid zwolnił.

- No tak. Musisz nogami ścisnąć konia. Udami i kolanami, to zahamuje ten wyrzut. W takim tempie to my do rana nie dotrzemy do domu.

- No to spróbujmy jeszcze raz.

Szło dobrze, więc Dawid uznał, że można przejść do galopu.

- A teraz będzie trochę szybciej. Trzymaj się mocno.

Saba przeraziła się nagłego zrywu konia i ścisnęła w talii Dawida. Dawidowi przemknęła myśl, że nie ma tego złego..., a Saba rzeczywiście ledwo utrzymywała się na koniu. Czuła, że się ześlizguje, a z nią sakiewka. Puściła się na chwilę przytrzymując się Dawida tylko jedną ręką, by sprawdzić, czy ma sakiewki. Szczęśliwy Dawid, nieco nieśmiały w obyciu z kobietami młodzieniec nic nie poczuł, bo właśnie delektował się byciem objętym przez niewiastę. Saba spadła. Dawid zatrzymał konia i jego myśli też spadły z niebios na ziemię.

- O Sabo, wybacz mi - prawie przed nią ukląkł. - Nic ci się nie stało?

Saba odwróciła się na kolanach i macała grunt pod sobą w poszukiwaniu jednej sakiewki, która gdzieś się wyślizgnęła.

- Nic, nic. Gdzieś mi tu upadła sakiewka.

- Sabo, czy ty go okradłaś?

- Ależ nie. Skądże. Wzięłam zaliczkę... - Saba pomyliła pojęcia, ale teraz była zajęta szukaniem. - Wymierzyłam sprawiedliwość.

- Sabo, ty nie jesteś Bogiem, by wymierzać sprawiedliwość.

- Boga może nie ma. A jak jest, to jego syn się szlaja i nie dotrzymuje obietnic.

- Sabo ty bluźnisz.

- Jak ci ktoś coś obiecuje, a potem nie dotrzymuje słowa, to jak to nazwiesz?

- No to pewnie cię bujał.

- Bujał mnie to jak byłam mała - zadumała się Saba, ale tylko na chwilę. Zostawmy przeszłość w przeszłości, pomyślała.

- Sabo, ty jesteś straszną materialistką.

- Jakbyś chodził po bezludnej pustyni przez lata, to też byś był. A ty nie jesteś?

- Ja jestem, od zawsze byłem. Zawsze mnie ciągnęło do kamieni szlachetnych.

- To może mnie też pociągnie? - Saba właśnie znalazła sakiewkę.
- Widzisz, bez tego nie można żyć w tych miastach. Wszystko czego chcesz jest za to.
- Sabo, możesz być poszukiwana za tę kradzież.
- To nie była kradzież. Myślę, że on nie będzie śmiał.
- Sabo, zostań ze mną. Dam ci piękne pokoje. Jest w tobie coś takiego... - Dawidowi zabrakło słów. Może nie chciał powiedzieć wszystkiego. - Czuję się z tobą bardzo dobrze.
- Ja też, tylko jeszcze nie wiem, czy jesteś inny czy będziesz też próbował mnie sprzedać.
- Co ci do głowy przychodzi. Sprzedawać możemy razem. Mam dużo kamieni szlachetnych.
- I kupować też?
- Tak, na tym to polega.

Dawid znów pomógł Sabie wsiąść na konia.

- Tym razem usiądziesz przede mną. Będę cię trzymał, ale proszę nie pomyśl sobie niczego złego.
- Obiecuję - Sabie życie coraz bardziej zaczynało się podobać.

Będzie jeszcze tylko musiała wrócić po swoje księgi, jeśli okaże się, że ten człowiek mówi prawdę.

&&&

- No i jesteśmy - Dawid zsiadł z konia i pomógł Sabie, która nie była w stanie stanąć prosto. Mimo starań Dawida, by jechać wolniej, jedna z najszlachetniejszych części ciała Saby została porządnie obita. Musiała zatem przyjąć podtrzymujące ramię, by przejść te kilka kroków. Ujrzała przed sobą nie tylko budynki, ale wręcz fortecę, chronioną ze wszystkich stron. Stanęła gwałtownie.

- Nigdzie nie idę. Gdzie ty mieszkasz?
- Tutaj. Mam sporą ochronę. Jakoś kamienie szlachetne są bardziej pożądane niż kobiety. Zdarzały się próby napadów.

A jak on mnie nie wypuści, pomyślała. Może to podstęp.

- A co ja mam do tego? Nie godzi się wchodzić do domu mężczyzny.

- A jeździć po nocach w dwoma mężczyznami, przesiadać się i dosiadać konia na sposób męski to się godzi? To co, mam cię poślubić przed przekroczeniem progu?

- Ustalmy to jasno. Co ty właściwie ode mnie chcesz?

- A wiesz, że to dobre pytanie? O ile pamiętam, coś mnie w tobie zafascynowało, ale nie myślałem, żeby z tego powodu od razu zabierać cię do domu. Ba, nawet odbijać kupcowi.

- Z kupcem poradziłam sobie sama - uniosła podbródek z dumą.

- To wygląda na to, że poradzisz sobie i ze mną.

- Słusznie uważasz.

- To może przyjmiesz zaproszenie i omówimy szczegóły twojej wizyty u mnie przy winie? Mam najlepsze czerwone wino. Lubuję się szczególnie w kolorystyce, zaraz poza smakiem i zapachem. Wina mają najczystsze, krystaliczne odcienie kamieni szlachetnych, rubinowe polecam, ale nie tylko...

Saba poczuła gwałtowną ciekawość. Co to jest wino?

- Racja. Nie będziemy tu stać. Prowadź młodzieńcze w swoje podwoje.

Straż nie zdołała ukryć zdziwienia.

- No, nareszcie. Takie rzeczy to się naszemu panu nie przytrafiają, by po nocach wracać w towarzystwie innym niż kamienie.

- Szmaragdowy wyjątek.

Służba podała wino, a Saba chodziła od komnaty do komnaty, podziwiając ozdoby, wyszywane, lekko błyszczące narzuty na meble. Śliczne wykończenia, ornamenty, kolorowe dywany. Kolejny raz tej nocy doświadczała przepychu jakiego nigdy nie widziała. Poczuła coś, czego nie rozumiała, gwałtowną żądzę wyrażającą się w jednym tylko słowie: chcę! Jej młody umysł rozpoczął niezależny od niej proces własnego toku myślenia. W jego zakamarkach snuł się plan, ale ona była zbyt zmęczona, by być tego świadoma. Usiadła na jednym z tych wygodnych mebli, których nazw nawet nie znała. Jej wiedza była nieco inna. Uczyła się wszakże sama, więc miała spore braki w wykształceniu i obyciu z ludźmi. Tylko ogromna pewność siebie i wiara, jakaś osobista, bliżej niesprecyzowana, ocalały ją przed ponowną ucieczką na pustynię. W dużej mierze była to też ciekawość i wola. Kilka łyków wina i kolorystyka kielicha z barwą wina kompletnie zaczęły zmieniać jej perspektywę postrzegania. Czuła błogość i jakby rozleniwienie. Po raz pierwszy Saba zaczynała być świadoma własnego ciała. Uporczywie wpatrywała się w Dawida i nie zdawała sobie sprawy, że zachowuje się bardzo, ale to bardzo uwodzicielsko.

Dawid znów wydawał się oczarowany i absolutnie skoncentrowany na Sabie. Zachowywał się jednak przyzwoicie, jak dżentelmen.

- Jeśli ja mam być jedną z twoich ofiar, jak ten grubas, to dziękuję, chociaż przyznam, że nie potrafię ci się oprzeć.

- Czemu chcesz się opierać? - Saba zapytała bardzo niewinnie.

- Ty mnie uwodzisz.

- Naprawdę?

- Bawisz się ze mną. Mam wrażenie, że... Zaczynam czuć się niepewnie. Możesz przestać? Mieliśmy porozmawiać.

- Dawidzie, ja cię widzę!

- To raczej normalne.

- Ale widzę cię inaczej. Ty cały świecisz - Saba wstała jak w transie i wolno ruszyła komnatami.

- Tu wszystko świeci. Kim są ci ludzie tam siedzący?

- Tam nikogo nie ma.

- Ach to umarli, oni odeszli - Saba wyciągnęła ręce ku nim i wyszeptała kilka słów. - Twoi przodkowie spoczywają w pokoju. Są ci wdzięczni. Uklęknij.

- Sabo, no co ty, nie będę klękał teraz, prawie nad ranem.

- Na kolana! - Saba zagrzmiała jakby nie swoim, niskim głosem i tym razem pozwoliła sobie napawać się gwałtownym przypływem mocy, której nie znała.

Przestraszony Dawid upadł na kolana, ale ona zdawała się tego nie zauważać.

- Co to było? - zauważyła. - To nie byłam ja - uznała. - Kto tu jeszcze jest? Ukaż się! - rozkazała.

Tym razem nawet Dawid widział, że atmosfera zagęszcza się. Ich oczom ukazał się kształt mężczyzny. Potężny, mglisty i płynący w powietrzu.

- Uwolnij mnie - zagrzmiał. - Wypowiedz trzecie życzenie.

- Ot, ktoś uwięził Dżina w twoim domostwie - Saba zaśmiała się być może trochę nerwowo.

- To nie ja - Dawid nadal przerażony klęczał i na wszelki wypadek postanowił zaprzeczać wszystkiemu. Nie ma to jak błoga ignorancja.

- To twój przodek. Musiał być silny. Trzecie życzenie! Chcę odnaleźć... - resztę słów wyszeptała.

Mgła w kształcie mężczyzny gwałtownie się zamieszała. W oddali padła odpowiedź: twoje życzenie się spełni. Atmosfera po chwili była zupełnie czysta.

- Masz świece?

- Służba! - zawołał Dawid - panienka potrzebuje świec.

Służba w postaci dwóch młodych mężczyzn weszła. Jeden jednak spojrzał na Sabę i się przestraszył. Zaczął krzyczeć.

- Panie, to czarownica! - wybiegł na dwór i biegł w nieskoordynowany sposób po całym podwórzu, aż upadł potykając się o jakieś naczynie.

- Co mu się stało? - zapytał Dawid.

- Nie wiem - odparła Saba. - Może coś zobaczył - zlekceważyła temat.

- Wybacz panie, mój brat palił pewne zioło dzisiejszej nocy.

- Aha, i zapił winem jak go znam.

- Ano zapił.

- Niech sobie odpocznie. Zostawmy go tam, im mniej się rusza, tym mniej sobie krzywdy zrobi.

Świece zostały rozstawione. Saba znów usiadła. Wydawało się, że tępo wpatruje się z jedną z nich.

- Sabo, jesteś? Mam wrażenie, że tak patrząc jesteś daleko stąd.

- Drogi Dawidzie - Sabie pociekły łzy po policzkach. - Czeka cię wielkie niebezpieczeństwo. Twoje domostwo jest bezpieczne jeszcze długie lata, ale ty nie. Przebywasz w niebezpiecznych miejscach.

- Wydaje ci się Sabo, umiem o siebie zadbać.

- Złe czasy nadejdą. Ludzie nie widzą...

- Sabo, kim ty jesteś, zaczynasz wieszczyć.

- Co? - Saba jakby się ocknęła. - O czym to mieliśmy porozmawiać Dawidzie?

- O twojej wizycie. Sabo, ja już widzę, jesteś wyjątkową kobietą. Ja cię poślubię, by twoje imię się nie splamiło przez mieszkanie z mężczyzną pod jednym dachem. Zostań ze mną jako wolna kobieta.

- Hojny jesteś bardzo.

Rozmawiali jeszcze długo, dolewając sobie wina, aż ze zmęczenia oboje usnęli na kanapach. Było ciepło. Ranek był cichy. Nikt im nie przeszkadzał. Służba miała podobne zapatrywania na godziny pracy co i pan. Służba też odsypiała.

&&&

Dni mijały szybko. Saba równie szybko zadomowiła się w posesji Dawida. Zaczęła od rzeczy najważniejszej już następnego dnia.

- To pokaż mi te swoje klejnoty.

- Które? Pokażę ci wszystkie oprócz dwóch najcenniejszych - nie wiedział, że ciekawość Saby nie pozwalała na takie żarty.

- Bawisz się mną, to najpierw te najcenniejsze pokaż jak już wzbudzasz we mnie taką ciekawość.

- Tych nie pokazuję nikomu - Dawid dobrze się bawił jej naiwnością. Im bardziej nalegała, tym większą miał zabawę - chodź za mną.

Szła ciemnym korytarzem za Dawidem trzymającym pochodnię.

- Czemu trzymasz je w ciemności? Jakże pięknie by lśniły w blasku słońca.

- To może od razu wystawić je przy drodze dla złodziei? - Dawid otworzył drzwi do komnaty, która wypełniona była przeróżnymi kamieniami.

- Ach, jakie piękne - Saba minęła Dawida w przejściu i niemal rzuciła się podziwiać kamienie iskrzące się różnymi kolorami. - Poświeć mi tu, proszę - już nabierała kamienie w ręce po to tylko, by je wypuścić i nabrać znowu. Dawid rozpalał pochodnie wokół komnaty. Obserwował biegającą od kufra do kufra Sabę, zatrzymującą się przy każdej napotkanej kupce kamienie na podłodze i się uśmiechał. Pomyślał sobie, że znalazł właściwą kobietę. Jeśli już przyjdzie jej sprzedać kamienie, zrobi to za dobrą cenę, bo samo rozstanie z kamieniem będzie dla niej bolesne.

Saba nacieszyła się widokiem i teraz zmieniła perspektywę patrzenia.

- Ależ masz bałagan z tymi kamieniami. Ja ci tu zrobię porządek!

- Rób co tylko z nimi chcesz - Dawid był przekonany, że w jej rękach kamienie są absolutnie bezpieczne. - Są wszystkie twoje - Saba zamarła w pół ruchu. - Jak powiedziałem, tak uczynię Sabo. Poślubię cię. Zatem co moje, to i twoje.

- Jesteś bardzo naiwny Dawidzie - powiedziała Saba poważnie i podeszła do niego. - Ofiarowujesz mi udział w swoich zbiorach, o które prawdopodobnie dbałeś całe życie.

- Łącznie z moimi przodkami. Nikt tyle nie nazbiera w całym jednym życiu.

- Czemu tak mi ufasz? Mogę być dla ciebie niebezpieczna.

- To prawda, możesz. Nie wiem czemu ci ufam... - Dawid zdawał się zamyślić nad tym pytaniem. - Naprawdę nie wiem... Dobrze się z tobą czuję... Ja nigdy nie... Rób co chcesz z tym, ufam ci i już - zakończył szybko.

- Co ty nigdy nie?

- Nieważne. Nie chcę o tym mówić.

- Teraz wzbudziłeś znów moją ciekawość! Bawisz się mną, a co z dwoma najcenniejszymi klejnotami? Są tutaj? Mam je znaleźć sama?

- Są tutaj - Dawid ponownie się uśmiechnął. - Znasz taką grę: ciepło zimno?

- Znam! To mów! - Saba uwielbiała gry.

- Letnio.

Saba rozejrzała się wokół. Gdzie też mogły być klejnoty? Cofnęła się.

- Zimno.

Zrobiła dwa kroki w kierunku Dawida.

- Cieplej.

Nie przestawała iść dalej.

- Cieplej.

- Jestem na dobrym tropie. Przesuń się - Dawid stał jej na drodze.

- Gorąco! - powiedział, gdy go mijała.

- Ty masz je przy sobie! - powiedziała niemal oskarżycielsko. - Nosisz ze sobą najcenniejsze klejnoty? A jak ci ktoś ukradnie?

Dawid nie mógł przestać się śmiać.

- I jeszcze cię to bawi! Kieszenie! - jej ręce już były w jego kieszeniach, które o dziwo okazały się puste.

- Ciepło - powiedział Dawid.

Saba bardzo wolno i delikatnie dotknęła kieszeni i przesunęła dłoń w kierunku jego talii.

- Zimniej.

Z powrotem jej ręce znalazły się niżej.

- Cieplej - głos Dawida nieco zachrypiał. Saba zaślepiona żądzą wizji kamieni szlachetnych zupełnie nie zwróciła uwagi, że za chwilę jej ręce dotkną najintymniejszych części ciała Dawida.

- Gorąco! - Dawid chrypiał. Saba dostrzegła już wypukłość w spodniach i nagle ją olśniło.

- Masz je w spodniach! Ściągaj portki panie Dawidzie - olśniło ją w zupełnie inny sposób niż każdą inną kobietę.

Dawid złapał jej ręce i uniósł do swoich piersi.

- Nie, Sabo - był bardzo zdecydowany, jakby musiał walczyć nie tylko z nią, ale samym sobą.

- Ależ czemu? - Saba nagle poczuła się rozczarowana i zraniona.

- Te klejnoty są dla poślubionych.

- Trzeba było wcześniej! Miałam taką ochotę - Saba wydawała się być sfrustrowana.

- Sabo zrozum...

- Ściągaj portki, bo jak nie, to sama ci je ściągnę! - zła na niego postanowiła użyć swojej siły. - Nie zabiorę ci ich, ale chcę je zobaczyć.

Już była gotowa wypowiedzieć magiczne słowa zaklęcia, ale coś w niej samej powstrzymało ją. Miała skrupuły, nie mogła tego zrobić. Nie mogła go zranić, nawet na chwilę. W jej oczach pojawiły się łzy, odwróciła się i wybiegła z komnaty.

Dawid pogasił pochodnie i wyszedł jej poszukać. Znalazł ją w jednej z komnat, schowaną niemal całą w poduszkach, które poruszały się w rytm spazmów. Popatrzył na nią jak na małą dziewczynkę i poczuł się nagle bardzo winny.

Usiadł na brzegu łóżka.

- Sabo, ile ty masz lat?

- Piętnaście - łkała.

- Wyglądasz bardzo dojrzale. A gdzie są twoi rodzice? Skąd ty jesteś?

- Z daleka, nie pytaj. Nie powiem ci.

- Sabo, poczekamy ze ślubem. Ja nie chciałem cię ranić. Masz prawo nie wiedzieć wielu rzeczy. Zachowywałaś się wczoraj bardzo... kobieco.

- Już nie chcesz mnie poślubić? - Saba gwałtownie podniosła zapłakaną twarz.

- Chcę, ale teraz mam wyrzuty sumienia. Poczęstowałem cię wczoraj winem, a dzieciom nie wolno pić wina.

- Ja nie jestem dzieckiem! - Saba poczuła się znieważona i rzuciła się na Dawida, chcąc nim potrząsnąć. Dawid ją złapał i chwilę mocno trzymał, aż przestała się szamotać.

- Sabo, wybacz mi, proszę - trzymał ją czule i tulił do siebie, a ona wcale się nie opierała. Wręcz przeciwnie, też go obejmowała.

- Wybaczam, wybaczam. Pewnie mnie oszukałeś ze wszystkim, a ja się nabrałam. Widać jestem bardziej naiwna niż ty.

- Nie, nie oszukałem. Wszystkie obietnice dotrzymam.

- To pokażesz mi te dwa klejnoty? - Saba postanowiła skorzystać z okazji.

- Sabo! Ty jesteś pazerna. Jak się przyczepisz do czegoś to już nie puścisz. Nie wszystko można mieć od razu.

- To prawda - Saba ziewnęła. Zmęczenie płaczem dało o sobie znać.

- Szłam przez pustynię latami, a myślałam, że to tylko na chwilę.

Dawid słuchał uważnie i kołysał ją do snu, a kiedy usnęła trzymał ją nadal w objęciach, pogrążając się we własnych myślach.

- Panie, gość czeka - sługa pojawił się wręcz niezauważalnie.

- Tak, poczęstuj go winem, już idę - delikatnie ułożył Sabę na poduszkach.

&&&

- Sabo, chcesz iść ze mną dzisiaj na rynek? - Dawid przyszedł do komnaty, gdzie zaspana Saba wolno uniosła się na łóżku. Czuła się dziwnie. Jakby zrobiła z siebie wczoraj pośmiewisko. Sama po raz pierwszy w życiu odczuwała wstyd.

Nie bardzo wiedziała jak sobie z tym poradzić.

- Bardzo chętnie Dawidzie - wydawała się być lekko zdystansowana w stosunku do niego i bardzo, aż za bardzo opanowana i oszczędna w ruchach.

- Co się z tobą dzieje? - Dawid zmarszczył czoło. - Chyba najpierw powinniśmy o tym porozmawiać.

- Ależ nie ma o czym. Wybacz mi moje zachowanie. To się więcej nie powtórzy.

- Zachowujesz się nagle jak nie ty - czuł się zdezorientowany.

- Może dojrzewam... - odpowiedziała Saba. - To prawda, pokazałam się jako niedojrzała dziewczynka. Mam zamiar to zmienić - dokończyła z dumą i bardzo wolno, dostojnie poprawiała swoją jedyną śliczną suknię.

- Ależ ja kocham twoją spontaniczność.

- Spontaniczność jest dziecinna, a ja jestem kobietą.

- Kto ci tak powiedział?

- Czułam twoje myśli na mój temat. Nie wszystkie, ale kilka, że jestem taka młoda i że... - Saba zamilkła bliska płaczu. - Wcale nie musisz się ze mną żenić z litości, albo dlatego, że mnie lubisz. Poza tym ja prawdopodobnie jestem chora. Może niedługo umrę. Od dwóch lat choruję na coś dziwnego.

- Sabo, co ci jest? - Dawid podszedł do niej bardzo blisko, szukając porozumienia i kontaktu z osobą, która była mu tak bliska mimo, że znał ją zaledwie od kilku dni.

- Dawidzie, ja krwawię. Uchodzi ze mnie krew, a jak wiesz krew to symbol życia.

- Zraniłaś się? Może to przez jazdę na koniu.

- Nie Dawidzie, słuchaj uważnie. Ja krwawię co miesiąc.

- Aaaa, to... - Dawid wydawał się odetchnąć.

- Lekceważysz moja chorobę! Chcesz zobaczyć? To patrz! Znów mi się przytrafiło, łoże jest pełne krwi - wskazała palcem na łóżko.

- No bez przesady, mała plama - Dawid przyjrzał się uważniej. - Sabo to nie jest choroba. Każda kobieta krwawi co miesiąc.

- Ale to boli! Ja nie chcę! Ja też chcę iść na rynek, a nie mogę się ruszać!

- Najpierw poślemy po medyka, a potem pójdziemy jak poczujesz się lepiej. Sabo, jeszcze jedna sprawa czy chciałabyś studiować księgi?

- Księgi? - Saba dopiero teraz przypomniała sobie, że nie wróciła po swoje księgi.

- Wiesz, z których można wiele się nauczyć o takich rzeczach jak to krwawienie co miesiąc.

Saby oczy rozbłysły. Ona przecież uwielbiała księgi. Wyniosłaby je wszystkie ze świątyni, gdyby tylko zdołała tyle unieść.

- Oczywiście. A masz takie?

- Mam kilka, ale może do nas przychodzić nauczyciel i on ci będzie mówił wiele rzeczy.

- Odpowie mi na moje pytania?

- Myślę, że tak.

- Tak, zróbmy tak! - Saba zareagowała na swój spontaniczny sposób, a Dawid się uśmiechnął widząc ten entuzjazm i blask w jej oczach. Jemu samemu robiło się od tego niejako przyjemniej i zupełnie jakby nagle był w stanie przenosić góry.

- I na koniu mnie naucz jeździć?

- Tego nauczę cię osobiście - Dawid zawołał sługę by posłał po medyka.

&&&

- Panie, medyk czeka - sługa przerwał część dalszą rozmowy.

- Poproś go tutaj.

Do komnaty wszedł starzec z laską w ręku, pokłonił się i przedstawił.

- Witajcie Sławny Dawidzie i Mądra Sabo.

Coś mu się pomieszało, zdążyła pomyśleć Saba. To ja jestem albo będę sławna, a Dawid niech sobie będzie mądry.

Dziwny to był medyk według Saby. Wypytał o czas jej narodzin, miejsce, co jakiś czas zapadał jakby w sen, tylko po to, by za chwilę się ocknąć i zadać kolejne pytanie.

- Te zioła będziesz pić na 3 dni przed.

- A skąd ja mogę wiedzieć kiedy to będzie?

Jakże mądra Saba mogłaby nie wiedzieć, zdawał się myśleć medyk.

- Ona miała ciężkie przeżycia i krwawi nieregularnie - na pomoc pospieszył Dawid.

- Zatem pierwszego dnia najpóźniej.
- A, to może być - przyznała Saba.
- A w trakcie zalecane są specjalne pozycje medytacyjne - medyk tłumaczył, a Saba słuchała, chociaż mało uważnie, bo chciała iść na rynek.
- A teraz najlepsza część. Gdyby bardzo bolało, natychmiastową poprawę uzyskasz, układając tak ręce na brzuchu. Tu są magiczne symbole.
- Znam te symbole.
- Jak to? - medyk się zdziwił. - One są tajne i nie ma ich w żadnych księgach.
- To znaczy, wydają mi się znajome - poprawiła się.
- Tak, będą sporą częścią twojego życia. No a teraz spróbuj sama.

Saba wypowiedziała w myślach magiczne nazwy, wizualizowała je w swojej wyobraźni i ból natychmiast zniknął.
- Jesteś bardzo zdolna.

Saba nie powiedziała nic, nie życzyła sobie dziś więcej wyrzutów sumienia.
- Będę przychodził cię uczyć codziennie po trochu.
- A masz księgi? - wyrwało się Sabie.
- Mam sporo ksiąg - odparł medyk.
- To może ja odwiedzę ciebie.
- Niewieście nie wypada samej chodzić z wizytą do mężczyzny, no chyba, że jest to kobieta lekkich obyczajów.
- Jestem lekka jak piórko.
- Saba ma poczucie humoru - szybko wtrącił Dawid. - Przyjdziemy razem.

&&&

Rynek był tłoczny, głośny i kolorowy. Dzień targowy przyciągał ludzi z całego miasta. Chaos jaki tu panował miał jednak swój porządek. Kto krzyczy głośniej zachwalając swoje towary, wygrywa. Wygrywa klienta.

- Patrz! Patrz tam! - Saba już zmierzała w stronę świecidełek. - Tam się coś świeci.

To kamienie - Saba zanurzyła ręce w kolorowych kamyczkach.

- Sabo, to nie są prawdziwe kamienie. Te są sztuczne.

- Ach, to niemożliwe, zobacz jak się ładnie świecą.

- Przyjrzyj się uważnie - Dawid wziął jeden z nich. - Jest zbyt doskonały. Który ametyst jest cały fioletowy? Bez żadnej skazy i przebarwienia.

Dawid wprowadzał Sabę w tajniki kamieni szlachetnych i rozpoznawania różnic, kiedy tuż za ich plecami ktoś krzyknął.

- Najładniejsze stroje, z zagranicy, oryginalne wykonanie. Tylko tutaj, tylko teraz. Dobra cena. Saba gwałtownie się odwróciła.

- Jakie ładne! - zachwycona już dotykała materiał jednej z nich.

- Rzeczywiście śliczne. Która ci się podoba?

- Ta! - Saba trzymała kolor zielony przewiewnej tuniki. - I ta! - wskazała na rubinową - oraz ta złota. Ale ładna niebieska! Zobacz na ten turkus.

Dawid sam miał ochotę kupić wszystkie. Czuł się jednak odpowiedzialny za wychowanie Saby.

- Wybierz trzy - powiedział, stając tak, by mógł obserwować jej oczy.

Jej oczy wydawały mu się wręcz głodne, pełne pożądania. Uczucie rozbawienia w Dawidzie mieszało się ze smutkiem. Oby to pożądanie jej nie zgubiło.

- Trudny wybór dla niewiasty - wtrącił się sprzedawca.

- Te! - Saba chwyciła trzy suknie. Dobicie targu należało do Dawida.

Panowie przez chwilę zatem rozmawiali.

- Ile to będzie kosztować? - zapytała Saba chętna do przyłączenia się.

- Jak kupicie kilka, będzie taniej.

- Widzisz Dawidzie, kupmy więcej to zaoszczędzimy!

- Dobrze niewiasta myśli - pochwalił sprzedawca.
- Trzy - Dawid próbował być nieugięty.

Wzięli trzy i ruszyli dalej.

- To może jakieś suszone owoce - zaproponował Dawid.
- Dobrze Dawidzie, wybierz proszę.

Dawid wybierał, a Saba szybciutko wróciła do sprzedawcy sukienek. Zajęty Dawid nie zauważył tego.

- Za połowę ceny wezmę kolejne trzy - powiedziała.
- Bardzo zabawne. To mi się w ogóle nie opłaca.
- Nie, to nie - Saba odwróciła się na pięcie urażona, udając, że ogląda kolejny stragan.
- Zaraz, zaraz, może dobijemy targu? - zawołał za nią kupiec. - Trzy czwarte za trzy.
- Trzy czwarte za cztery.
- Trzy czwarte za trzy i chusta.

Jak to się stało, że Saba nie dostrzegła chust?

- Trzy czwarte i trzy i dwie chusty - spróbowała.
- Niech będzie.

Przy sobie miała sakiewki, które wzięła od grubasa. Brońcie święci nie nazywała tego kradzieżą.

Bardzo zadowolona wróciła do Dawida.

- Skąd to masz? - Dawid nie był zachwycony, bo już jej szukał.

Martwił się już, a teraz dostrzegł ją z kolejnymi sukniami. Nie tak miało być.

- Kupiec był bardzo hojny.
- Kłamiesz.
- Wcale nie. Naprawdę był hojny.
- Skąd miałaś pieniądze?
- Mam swoje sakiewki.
- Nie twoje tylko grubasa.
- Skąd wiesz, może chciał mi je dać.
- Zapewniam cię, że nie chciał.

- To może źle zrozumiałam. Chodźmy już po owoce.

- Sabo, tak nie można...

- Ale co? Zapłaciłam uczciwie.

Dawid nie bardzo wiedział co powiedzieć. Miał słabość do tej dziewczyny. Kolejny stragan wyłożony był księgami, a raczej pustymi, oprawionymi przyszłymi księgami. Saba stanęła zauroczona. Po chwili już otwierała jedną z nich.

- Dawidzie, tu nic nie jest napisane.

- To księgi do zapisania. Te będą ci może potrzebne.

- Ile bierzemy? - zapytała.

- Weź ile zdołasz - Dawid uznał, że to może być całkiem zabawne.

- To może ty weź ile zdołasz, a ja potrzymam sukienki i owoce? - Saba słusznie oceniła swoje siły.

- Nic z tego, ty bierzesz, a ja płacę. Obiecuję potem nieść. Tylko weź ile zdołasz.

- Ach to tak! - Saba odkryła jego podstęp. - To ja ci pokażę skoro ty to będziesz niósł - zmarszczyła brwi, oddała mu sukienki i zabrała się do dzieła.

Układała księgę na księdze, wybierając skrupulatnie te, które podobały jej się najbardziej. Księgi były ciężkie, oprawione w skórę. Dziesięć ksiąg ułożonych w kolumnę wykraczało nieco poza wzrost Saby. Przymierzała się do podniesienia wszystkich naraz. Muszę tylko wytrzymać i podnieść. On to będzie niósł, pomyślała.

- Sabo nie! - Dawid przypomniał sobie właśnie, że w tych trudnych kilku dniach w miesiącu, ona nie powinna dźwigać.

- Nie przeszkadzaj mi! - Saba wręcz porwała w górę swoje księgi w obawie, że Dawid jej przeszkodzi, po czym runęła razem z nimi na aleję pełną miejskiego kurzu.

- Ale wzięłam - powiedziała krzywiąc twarz w bólu i rozcierając obolałą nogę.

- Będzie siniak - uznał rozbawiony Dawid.

- Ja to ja, ale ty będziesz to niósł. A śmiejesz się ze mnie.

Zakupili księgi, których niesienie dla Dawida nie było problemem.

&&&

Saba przebierała się co chwila w inny strój, przeglądając się w zwierciadle, które Dawid odziedziczył po przodkach. Podobała się sobie coraz bardziej.

Zachwycała się też nowością ksiąg, ich zapachem. Były jej i do zapisania. Cóż ona ma tam pisać, nie wiedziała, ale była pewna, że je zapisze. Któregoś dnia. Jej nogi teraz nie chciały siadać. Suknie delikatnie powiewały pod wpływem jej ruchów. Odkrywała na nowo ruchy własnego ciała w połączeniu z falowaniem materiału. Przyglądający się jej Dawid nagle zaczął rytmicznie klaskać. Saba nie miała pojęcia, że to, co właśnie się z nią dzieje, to taniec. Wyrażała siebie poprzez ruch i rytm. Ma talent, pomyślał Dawid. Miała poczucie rytmu, ale wdzięk jej płynnych ruchów był czymś więcej. Podziwiał ją. Koniecznie należy w niej to rozwijać. Dawid postanowił już w myślach za nią. Będzie się uczyła również tańca.

&&&

Nauki nie były trudne dla Saby. Spragniona wiedzy i umiejętności wykazywała się wręcz nieprzyzwoitym głodem i zachłannością w podejściu do przedmiotów. Całe dnie wypełniała jej nauka z różnymi nauczycielami, którzy przychodzili do domu.

Widząc Dawida przygotowującego się znów do podróży bez niej, przerwała naukę.

- Dawidzie, nie chcę, żebyś jechał w kolejną podróż. Zginiesz.

- Co ty mówisz. Sabo, to tylko kilka dni poza domem. Wiesz, że ja lubię podróżować.

- Ja też, ale nie zabrałeś mnie ostatnio ze sobą - Saba miała żal.

- Ty się teraz uczysz. Masz tu wszystko czego ci trzeba.

Saba zaniepokoiła się niezrozumieniem, które okazywał jej Dawid. Szanowała go i czuła dobroć płynące z jego serca, ale... Odczuwała smutek.

- Nie godzę się, byś pojechał - powiedziała spokojnie, odwróciła się i odeszła.

Dawid wyruszył.

- Będę pisał.

Saba się nie odezwała.

Już pierwszego wieczoru posłaniec przygalopował do drzwi domostwa.

„Bardzo ładnie jest w tym kraju. Piękne widoki. Dobre jedzenie i wino. Interesy układają się po mojej myśli i jestem szczęśliwy. Mam nadzieję, że u ciebie wszystko w porządku. Całusy".

Saba odłożyła list i nerwowo zaczęła chodzić po komnacie. Tylko kilka łez popłynęło po jej policzkach.

- O ty, naiwna - powiedziała do siebie całkiem twardo.

- Czy zechciałaby pani odpisać? - posłaniec wyraźnie czekał.

- Nie. Powiedz mu, że mam nadzieję, iż ta podróż jest warta konsekwencji jakie poniesie.

- Ależ pani, ty mu grozisz?

- Nie.

Kilka dni później posłaniec znów przyniósł wieści od Dawida.

„Widzę, że jesteś zazdrosna o tę podróż. Wiesz, że ja lubię podróżować. Może nie będę już pisał. Porozmawiamy po powrocie. Bardzo dużo wina tu płynie. A jakie smaczne. Przywiozę trochę do domu".

Tym razem Saba poczuła ukłucie w sercu. Ból nie dawał jej wytchnienia. Łzy płynęły jak grochy, a ona czuła żal, zranienie.

- Powiedz mu, że... - Sabie trudno było wypowiedzieć słowa, bez drżenia. - Powiedz mu, że go kochałam, jestem mu wdzięczna i nigdy o nim nie zapomnę.

- Pani, to mu sama powiesz. Czyżbyś odchodziła?

- Ja nie.

Saba czuła się bezsilna. Bez mocy. Wydawało jej się, że ma całą potęgę świata, że tyle może. Że ma władzę nad tworzeniem. Okazało się, że nie zawsze. Tego wieczoru wydawało jej się, że jest ciemniej niż zazwyczaj. Konwój wkroczył na dziedziniec. Saba nie wybiegła, by powitać Dawida. Siedziała w ciemnej komnacie i płakała.

Najwierniejszy sługa Dawida podszedł do Saby lekko zataczając się na nogach i czkając co chwila.

- Eeee... Pani... Hghhh... - bardzo starał się wyglądać poważnie. - Pan nie przyjedzie. To znaczy został zasztyletowany - na te słowa sługa jakby się odblokował i nie starając się już o jakikolwiek wygląd rzucił się na ziemię w geście rwania włosów z głowy. - Co my poczniemy pani bez niego?

Saba niemo wpatrywała się w pijanego sługę.

- Czy coś mówił?

- Na moich kolanach, o pani jak tu jestem. Wyznał, że... że żałuje czegoś tam, podróży, że coś tam i że kocha i że tu jest testament. Zaraz, gdzie ja to mam.

Saba nawet się nie poruszyła. Jej łzy były wystarczającym elementem ruchu w tej sytuacji.

- Nie mogłem zgubić testamentu! Pan mi ufał - czknął przeciągle. - Pani! Mam! O ja biedny, muszę szklaneczkę na uspokojenie nerwów. Tu jest wszystko twoje! Zmiłuj się dobry Boże, bo kobieta to wszystko przepuści. Broń Boże niech pani nie bierze sobie tego do serca. Ja tylko wyrażam moją opinię - powiedział, wstał, zrobił kilka kroków i runął na ziemię.

Saba nie miała wyboru. Podniosła się. Podeszła bliżej, ale odór alkoholu natychmiast ją odrzucił. Skrzywiała się.

Saba schowała papirus z testamentem, nawet nie czytając go. Noc była dobra, a sprawa świeża. Przyniosła świece i ustawiła w kręgu. Pijany i nieprzytomny sługa był punktem jej programu.

Saba rozpostarła ręce. Wyszeptała tylko sobie znane formuły i zwróciła się do sługi.

- Przemów! Rozkazuję ci, opowiedz mi wszystko co widziałeś i słyszałeś tej nocy.

Mężczyzna leżący na podłodze doznał gwałtownych konwulsji, po czym wydawał się uspokoić, unosząc się nieco na łokciach. Otworzył oczy, lecz było widać tylko jego białka. Zachrypiał.

- Hmmmhghfhdlf... glgfbjhghghghgghrrrrrrrrrrrrr...

- Mów wyraźnie! - zażądała Saba.

- Piliśmy spokojnie dobre wino. Muzyka i tancerki naokoło. Było tak swojsko. Znajoma pana Dawida nas podejmowała. Niczego nie brakowało. Ogrom jedzenia. Widziałem jak ona go próbowała czarować i mamić. Chciała... - znów zacharczał, co tym razem miało oznaczać śmiech. - Chciała z nim... pobaraszkować. Ale sobie pomyślałem taka gruba i stara. Bębny grały coraz głośniej. Było mi tak dobrze. Spokojnie. Aż tu nagle wdarli się zbójcy. Napadli na nas. Niewiele widziałem. Walczyłem, ale refleks miałem opóźniony. Chyba dodali mi coś do wina, pomyślałem. A potem widzę pan mnie woła, ale cicho jakoś. Jest cisza. Wszyscy uciekli. Zbójów nie ma. Większość naszych się uratowała. Ale pan nie. Trzymałem go jeszcze jakiś czas. Ale rana krwawiła za mocno. Pisałem testament, on mi dyktował i powiedział te słowa, że żałuje.

- Dość! - powiedziała Saba, opuściła rękę, a mężczyzna gwałtownie opadł z łokci na podłogę. - Miałeś go bronić - wyszeptała cicho i załkała zupełnie jakby była inną osobą niż przed chwilą. Teraz bezbronną i przygarbioną. Zgasiła świece. Zawołała służbę.

- Proszę, zajmijcie się nim, albo chociaż nakryjcie kocem. Przydałaby się poduszka, ale mi szkoda. Przynieście wiaderko.

&&&

Saba wyszła na dziedziniec. Wiedziała gdzie iść, by zobaczyć ciało Dawida. Kazała je przenieść do jednej z tajemnych komnat. Poprosiła, by jej nie przeszkadzano.

Nie mogła oprzeć się pokusie. A gdyby tak... pomyślała i skierowała swe kroki ku jednej z ksiąg opatrzonych pieczęciami i ostrzeżeniami w różnych możliwych symbolach. Długo gładziła ręką okładkę, w końcu zdecydowała się ją otworzyć.

Przez chwilę szukała w skupieniu właściwego rozdziału. Wtem komnata nagle rozświetliła się. Sabę opanował kompletny spokój i miłość. Jakby nagle całkowicie wybaczyła, nie czuła już żalu i nic nie było już ważne. Nic już nie trzeba było robić.

- Sabo, nie rób tego - usłyszała znajomy głos.

- Dlaczego przychodzisz dopiero teraz? Muszę sięgać do zakazanych ksiąg by zwrócić twoją uwagę?

- Sabo, wiesz, że najpierw muszę wypełnić zadanie.

- Tak, wiem, chcesz zbawić cały świat, więc nie starcza ci już czasu, by do mnie przyjść - Saba nie poddawała się łatwo aurze spokoju i miłości. Jej rozum mówił jasno i wyraźnie, że dzieją się rzeczy, na które się nie godzi i nie ma zamiaru.

Jezus podchodził bliżej, widziała go coraz wyraźniej.

- Jak tu wszedłeś? Komnata jest zamknięta - zainteresowała się nagle. - Pokaż mi, proszę - zaciekawiona nową umiejętnością nagle złagodniała.

- Cała Saba - uśmiechnął się Jezus. - Popatrz na mnie uważnie.

- Wyglądasz normalnie tylko nieco świecisz, albo świeca daje takie światło - Saba mrużyła oczy.

- Popatrz uważniej zatem - Jezus oczekiwał, że ona odgadnie. Wiedział, że lubiła zagadki.

- Ty nie masz ciała! - wykrzyczała nagle.

- Brawo! - zawołał Jezus, jakby udała mu się jakaś dobra sztuczka.

- To mój sobowtór. Właściwie dość realny. Jestem daleko stąd i właśnie się modlę z innymi.

- Całkiem przydatna umiejętność - Saba podeszła do sprawy pragmatycznie. - Nauczysz mnie? - powiedziała to z ogromnym wdziękiem i czarem.

- Jesteś taka słodka Sabo kiedy to robisz - westchnął Jezus. - Trudno ci się oprzeć.

- A co robię?

- Czarujesz i to całkiem dobrze.

- No, ja myślę, a niechby źle! - oburzyła się zadziornie.

- Mogę cię nauczyć, ale obiecaj mi, że nie zrobisz tego, co masz na myśli z Dawidem.

- A skąd wiesz, co mam na myśli, może sprawiam złe wrażenie - zaczęła się bronić.

- Sabo, bądź rozsądna. Nie kochasz go na tyle, by schodzić w bramy piekieł.

- To aż tak nabroił? - zapytała zaciekawiona. - O ile wiem jest sporo poziomów. Jak myślisz, na którym może być?

- Będzie musiał zejść dość nisko, ale nie do końca. Dopiero potem jeszcze coś się rozważy, jakieś miejsce dla niego.

- Hmmm...

- Przyznaj, chcesz to zrobić z ciekawości.

- Nie, wcale nie, ale może mu to jakoś pomoże?

- Nie możesz go przywrócić. Zbyt wiele pozmieniasz.

- Jeszcze mogę. Skoro ty możesz, to czemu ja mam nie dać rady? - Saba buntowała się. Wydawało jej się, że to bardzo niesprawiedliwe, że Jezus ma prawo wskrzeszać, a ona nie. Sam chcesz odstawiać taki numer i to ze sobą samym w roli głównej! Przyznaj! Chodzi ci o sławę a nie o zbawienie ludzkości.

- Ja potem odejdę Sabo, ja tu nie zostanę na planie fizycznym. Moją rolą jest pokazanie możliwości, ale laurów z tego tytułu już nie będę zbierał.

- Niech ci będzie: sława pośmiertna. Nie odstawiaj mi tu numerów. Wracamy do tematu. Jak zrobić sobowtóra?

- Sabo, jeśli cię tego nauczę, możesz poważnie utknąć na planie przyczyn i skutków. Twoja ciekawość nie ma granic. To są ogromne koszty.

- Hmmm... - Saba nie myślała o kosztach. - Zawsze możesz się za mną wstawić, jak już tam będziesz. Nie robię nic złego.

Jezus milczał jakby coś sobie ważył w umyśle.

- Usiądźmy.

- Ty naprawdę nie masz ciała? Wyglądasz bardzo prawdziwie.

- Ależ mam. Dotknij.

Saba usiadła obok Jezusa i dotknęła jego ręki. Uśmiechnęła się.

- Jesteś jak najbardziej żywy. To cudowne! To absolutny cud! - zachwyciła się jak małe dziecko. Siedziała koło niego tak blisko. Tak bardzo blisko. Czuła go całym swoim ciałem, a może też i duszą. Jej głowa zbliżyła się do jego. Jezus uważnie na nią spojrzał i dotknął jej ramion.

- Sabo, ja mam teraz inne zadania. Nie...

- Tylko troszeczkę - wyszeptała zahipnotyzowana jego poważnym, ciepłym i jakże świetlistym wzrokiem. Dla niego mogłaby się rozpłynąć w tych oczach pełnych miłości.

Jezus odwrócił głowę i bardzo mocno przyciągnął ją do siebie. Przez dłuższą chwilę nie puszczał jej. Ona się nie opierała. Mogłaby tak zostać. Było jej jak w niebie, rozmyślała. Jeśli tak ma wyglądać niebo, to ona pierwsza stanie u jego bram. Ale tylko z nim. Sama nie idzie.

- Jezu? - odezwała się zaniepokojona.

- Tak?

- Nie słyszę bicia twojego serca. Moje wali, a twojego nie ma!

Jezus milczał i zamknął oczy.

- Twoje serce wali! Jak to zrobiłeś? - wyrwała się z jego ramion absolutnie zafascynowana.

- Sabo! - Jezus się roześmiał. - Jesteś już kobietą, w dodatku tak uwodzicielsko czarującą, ale rozbrajasz mnie tą dziecinnością odkrywcy.

Saba nic nie powiedziała. Doświadczała właśnie zupełnie sprzecznych uczuć. Jezus bardzo delikatnie się od niej odsunął. Wstał i już zamierzał odejść, kiedy słowa niemal popłynęły z jego ust:

- Zawsze kiedy mnie potrzebujesz zawołaj, tylko zawołaj i pamiętaj, że ja jestem - zdawał sobie sprawę, że jej nie powinien tego mówić, że może go zawołać, a on przyjdzie. Wiedział, że Saba bardzo szybko zacznie nadużywać tej wiedzy. Jej niewinne oczy mówiły co innego. Znał jednak jej niezaspokojoną jeszcze młodą duszę, która pragnie poznawać, pragnie wszystkiego i sama jeszcze do końca nie wie czego i po co. Jezus wiedział czemu ona tu jest. Na zmianę to uśmiechał się, to robił się smutny zaglądając w losy Saby. Ileż to kłopotów może ściągnąć na siebie z czystej ciekawości. Ile z nich uda jej się uniknąć? Chociaż Jezus nie myślał w kategoriach kłopotów, tu na Ziemi, tak nazywano pewne sytuacje.

Miłość Jezusa do Saby była silna. Nigdy jednak nie sprzeciwiłby się jej wolnej woli, która równocześnie miała jej przysporzyć sporo problemów. Niejednokrotnie wstawiał się już za nią u Najwyższego. Jakże chętnie by ją zabrał tam, dokąd miał pójść.

Nigdy nie dostał odpowiedzi odmownej.

- Jeszcze nie - padało.

- Tysiąc lat? - Jezus żartował, znając cierpliwość Najwyższego.

- Myślę, że więcej.

Z rozważań wyrwała go Saba.

- Dokąd idziesz, Jezu? Mógłbyś mi pomóc, zobacz, mógłbyś go wskrzesić, tak po prostu - jej oczy prosiły. Jednocześnie dość niecierpliwie zerkała na księgi. Wiedziała, że czas ucieka, a cienka linia łącząca życie ze śmiercią powoli zanika.

Jezus nadal się wahał. Odejść czy próbować jeszcze ją przekonać. Ta mała niby niepozorna osóbka pozostawiona sobie samej, za chwilę poważnie zmieni losy świata, a sama uwikła się w ciąg przyczynowo skutkowy obfitujący w kolejne żywota, które znów oddzielą ją od niego na tak długo. Nie uśmiechał się już. Patrzył na nią bardzo spokojnie i poważnie.

- Czemu mi się tak dziwnie przyglądasz? - Saba poczuła się nieswojo. Poczuła się też przejrzana na wylot w swoich zamiarach i nieco się zawstydziła. - No tak, nie mogę przed tobą nic ukryć. Wiesz, że mnie ciągnie, by to zrobić. To jest jakby silniejsze ode mnie. Ja po prostu muszę to zrobić - wyznała rozbrajająco ze łzami w oczach. Gdzieś już zaczynała odczuwać, że nie jest to najlepszy pomysł. Jakże jednak kuszący. Jezus nie powiedział jej o konsekwencjach. Jeszcze na chwilę zawrócił do niej i bardzo mocno porwał w swoje ramiona. - Cokolwiek się stanie, pamiętaj o mnie - poprosił. Odwrócił się by odejść, ale nie był przekonany. Saba stała chwilę rozważając jakie ma opcje? Musi bardzo szybko podjąć decyzję. Wskrzesić, czy nie wskrzesić? Chwilę potem już wiedziała co zrobi...

&&&

ZIMA

Każdy ma swój sposób na spędzenie zimy. Ta była wyjątkowo rozbestwiona i nie zamierzała ustąpić. Częstowała zatem temperaturą -20 stopni Celsjusza i bawiła się doskonale. Sypała śniegiem gdzie się tylko dało i z satysfakcją oglądała postępy swej pracy. Wszelkie skargi i zażalenia trafiały do Ducha Przyrody. Nie były to pisma, o nie. Tak zwyczajnie Duch Przyrody słyszał każde narzekanie wypowiedziane przez Ziemian. Jemu samemu zrobiło się jakoś zimno, o ile to możliwe. Sam się zresztą zdziwił tym nowym odczuciem. Pozycja ducha bowiem rzadko zezwalała na tak ludzkie odczucia. Prawdą jest, że również się znudził. Postanowił odwiedzić Zimę.

- Niech no tylko dorwę tę lodowatą piękność - myślał, szukając sprawczyni wszechogarniającej białości.

- Witam, witam - usłyszał krystaliczny głos Zimy, rozlegający się gdzieś obok. Duch Przyrody miał wrażenie, że słyszy odgłos spadających sopli lodu. Odwrócił się i teraz wyraźnie ujrzał postać Zimy uśmiechającej się lekko, jakby nie chciała zdradzić jak bardzo jest zadowolona.

- Przesadziłaś moja droga! Może byś tak ustąpiła - zaczął stanowczo. - Kto by pomyślał minus 20 w połowie marca!

- Ale o co ci chodzi? - zapytała Zima - nie podoba ci się? Tak bardzo się staram - dodała kokieteryjnie.

- Nie! - odparł nie dając się zwieść urokowi Zimy. - Masz pojęcie co robisz? Ludzie wpadają w depresję, nie mają na nic ochoty, drogi są nieprzejezdne, wypadki, samobójstwa...

- To już chyba nie jest mój problem - przerwała mu naburmuszona Zima. - Powinieneś raczej udać się do Śmierci i do Depresji. To ich sprawka.

Spójrz jak pięknie - ponownie się uśmiechnęła, chcąc zatrzeć niemiłe wrażenie tej rozmowy i czym prędzej wybrnąć z kłopotliwej sytuacji. Zima miała bowiem sposób na wszystko: mrozimy to, czego nie chcemy i tak problem przestaje istnieć, aż do rozmrożenia, co się przy Zimie nie zdarza.

- Na ciebie i tak już czas - Duch Przyrody nie dał za wygraną. Do końca marca masz się wynieść, są inne tereny, gdzie możesz sobie panować przez cały rok. Kwiecień już będzie bez ciebie.

- To nie ja - próbowała się bronić Zima. - To Mróz, to on przesadził.

- Mróz zrobi wszystko, co mu powiesz, dobrze znam to jego zauroczenie tobą. Obdarza cię tak namiętnym uczuciem, że ludziom mało serca nie popękały od tej waszej miłości.

Zima uśmiechnęła się niewinnie.

- Chyba przesadzasz - powiedziała, ot tak sobie, by przerwać ciszę, ale wyraźnie ucieszyła się z zalotów Mrozu. Postanowiła to dobrze wykorzystać i robiła to jak tylko mogła. Wspólnym psotom nie było końca, no a teraz trzeba było odejść.

Zima nie była taka zła. Też chciała być kochana. Mróz kompletnie stracił dla niej rozsądek, a ona wreszcie mogła rozbudować swe królestwo, władzę, zdecydowanie bardziej niż zazwyczaj. Serce Zimy też nie było złe. Potrafiła kochać na swój sposób. Po wielu przeżytych epokach, obce jej były zauroczenia, ale chęć przetrwania była w niej silna jak zawsze. O ludziach nie pamiętała. Nie czuła zimna, więc nie rozumiała, ale nie życzyła nikomu źle. Zmierzała po prostu ku swojemu szczęściu. Zresztą, tłumaczyła się, że niektórzy ludzie żyją w niższej temperaturze i jakoś wytrzymują, więc ci tutaj też powinni, niech się hartują.

Rozmowa z Duchem Przyrody wyraźnie dobiegła końca. Zima zrozumiała, że musi się wycofać, lecz niech to ona ma ostatnie słowo:

- Zresztą i tak już się tutaj nudzę, i tak już miałam się gdzieś przenieść. Odchodzę - powiedziała wyniośle i zniknęła, a Duch Przyrody odetchnął, nie lubił kłótni między żywiołami. Takie rzeczy też nie pozostawały bez wpływu na planetę i ludzi. Ludzie... No tak, mówili mu, że ludzie nie przejmują się przyrodą, a na słowo Duch reagują co najmniej pogardliwym uśmieszkiem. Na szczęście nie wszyscy. Nic to, oni się nie przejmują, ale ja się troszczę, myślał. Duch Przyrody był bardzo obowiązkowy. Zima odchodziła powoli i z godnością w jej pojęciu. W tych oto warunkach, pod koniec marca można było dostrzec jej zniknięcie... a Mróz, jak to on, podążył za swą lubą, więc robiło się coraz cieplej.

PRECZ DEMONIE

J ej wędrówka była długa. Właściwie to trwała już latami. Ale nie zanosiło się na odpoczynek, zatem Elvi zmierzała spokojnym krokiem dalej. Weszła na kolejną górę krainy, którą właśnie przemierzała. Miała zamiar tutaj odpocząć, lecz po jej prawej stronie ponownie pojawiła się złowroga postać. Demon, którego imienia w pamięci nawet nie poszukiwała, stał oparty o pień drzewa, zacierał ręce i szczerzył kły w uśmiechu. Tak, jak on obserwował Elvi, tak ona zdecydowanie nie patrzyła na niego.

Nie miała czasu na łzy i narzekania, że taki los ją spotkał. Walka już prawie się rozpoczęła. To tylko kolejna bitwa, którą ona przegra. Wiedziała, że nie przejdzie tą, ani żadną inną drogą dalej bez konfrontacji. A ta czekała z satysfakcją i zadowoleniem. Nie było się co spieszyć, ścieżka prowadziła na wprost i tuż obok demona. Elvi szła zatem, udając, że go nie dostrzega.

Znali się od dzieciństwa. Demon wcale nie chciał jej śmierci. Śmierć go nie bawiła, a Elvi była mu potrzebna. Kto by go karmił? Z czyjej energii by tak korzystał? Trochę nią gardził, bo nie potrafiła się obronić. Zachłanny chciał coraz więcej tej jej siły.

Elvi zwolniła kroku, ale nie przestawała iść. Pochyliła nieco głowę, a jej wzrok padł na mijane po drodze kamienie. Okolica była ciemna. Czy jej się zdawało, czy tak nagle pociemniało? Nie, na pewno już zmierzcha, tłumaczyła sobie. Zaczęło też padać.

Postronnemu obserwatorowi jej twarz wydałaby się bardzo smutna, ale w tej chwili nikt poza demonem na nią nie patrzy. Ot, zwykła dziewczyna, siedemnastoletnia. Proste ciemne włosy spadały jej luźno na ramiona. Regularne rysy twarzy nadawały jej wyglądowi dostojności i piękna. Jakże smutnego piękna. Elvi już prawie mijała demona. Wydawało się, że tym razem pójdzie dalej. Minęła go, kiedy nagle ręka demona niczym klejąca się macka, złapała ją za ramię i odwróciła.

- Nie tak szybko - usłyszała.

Walczyła, wyrywając się.

- Ej, stój spokojnie, to nie potrwa długo.

Opadła z sił prawie natychmiast. Nie rozumiała tego, może nie chciała rozumieć. Dziwna to była walka, gdyby ktoś obserwował całą scenę z zewnątrz. Idąca dziewczyna odwróciła się nagle, poszarpała coś niewidzialnego w powietrzu, postała chwilę, a potem runęła na ziemię. Dlaczego on nie może jej dać odejść. Demon wymierzył ostatni cios. Elvi czuła, że przegrała. Jej kolana ugięły się jak na komendę, lądując na twardym podłożu. Odczekała jeszcze chwilę w bezruchu. Niech on już sobie pójdzie. Teraz, kiedy otrzymał od niej swą dawkę energii, pewnie odejdzie na jakiś czas.

Zadowolony demon pokłonił się nisko i ponownie wyszczerzył kły w szerokim uśmiechu.

- Ten się śmieje, kto się śmieje ostatni - duma Elvi nie chciała pozwolić wrogowi na odczuwanie większej satysfakcji.

- No cóż - mówiła już sama do siebie chwilę potem, gdy nieproszony gość w podróży zniknął - wstawanie bywa trudniejsze niż upadek. Leci się szybko, wstaje zdecydowanie dłużej.

Dźwignęła się na własne nogi nie zaprzestając filozoficznych rozważań. Wniosek z tego taki, kontynuowała swój proces myślowy: lepiej nie upadać lub też zapewnić sobie miękkie lądowanie. No, a teraz obowiązki wobec ciała wzywają. Należy znaleźć nocleg.

Wkrótce dostrzegła gospodę i postanowiła natychmiast się tam udać.

Wniosek kolejny, proces myślowy Elvi nie ustawał, żeby nie wyruszać w podróż zmęczonym. Przecież to jasne, że tym razem nie miała szans. Czasami liczy się siła, a nie filozofia.

Wkroczyła do gospody i zamknąwszy drzwi, zostawiła za sobą wiatr i deszcz, który już od wielu godzin nie przestawał padać. Karczmarz ciekawie jej się przyglądał. Miał dość potężny typ budowy, ale nie tylko to chroniło jego interesy i karczmę. Umiał szybko ocenić gościa. Ale teraz rozpoznał Elvi i już nic nie musiał szacować. Pieniądze dla Elvi ostatnio nie były problemem. Właściwie to sama się dziwiła jak tak długo przetrwała w drodze, nie mając stałego dochodu i stałego miejsca, gdzie mogłaby jak inni ludzie po prostu zarabiać.

- Elvi - oblicze karczmarza rozjaśniło się. - Długo cię tu nie było. Zmęczona?

- Zmęczona - odparła z bladym uśmiechem.

- Idź na górę, pogadamy potem.

Nie dyskutowała, wzięła podawane jej już klucze i z wdzięcznością spojrzała na Karczmarza.

- Przyniosę ci kawy, taką jak lubisz - powiedział ciepło.

- Jak żona? - zapytała Elvi, która właśnie przypomniała sobie, że Karczmarz z żoną oczekują dziecka.

- Już niedługo, niedługo - westchnął Karczmarz, który z równie dużą niecierpliwością co żona czekał na poród, nieco tylko z innych powodów. Miał wszakże swoje potrzeby.

Elvi dostała się bez problemu po schodach na górę, otwarcie drzwi również nie zakończyło się niespodziewanym atakiem znikąd. Teraz i ona mogła odpocząć.

Powoli i dla niej nadchodził sen. Ale czy kojący?

Elvi leżała w miękkim łożu, kiedy jasna i ciepła poświata ogarnęła pokój, w którym miała nocować tego wieczoru. Uniosła głowę i spojrzała gościowi w oczy.

- Nie ustawaj w walce - usłyszała. - Potem będzie lepiej.

Tak, pewnie, pomyślała, ale cieszyła się z odwiedzin tej postaci niosącej ze sobą spokój i bezpieczeństwo. Pojedyncze łzy spłynęły po jej policzkach. Poza tym nie czuła już nic poza odległym wrażeniem pobicia, wyczerpania i szoku po tak często powtarzających się atakach. Czuła, że jest za słaba. Jej wola się rozpływała, jakby nie panowała już nad swoim ciałem i nastawieniem na walkę. Osiągnęła moment, w którym już nie panikowała, że znów przegra, bo wiedziała, że przegra.

&&&

Obudziła się wczesnym rankiem, lecz niczym w transie usiadła ze wzrokiem wpatrzonym w okno. Nie chciała przegrać. Jaki ma wybór? Albo klęska, albo sukces. Nie ma nic pomiędzy. Dokąd ma pójść dalej? Wędrując już tak długo, można zapomnieć dokąd i po co się zmierza. Chciała się uwolnić, ale czy to wszystko? Cel wydawał się odległy. Sama droga mogła nieść zapomnienie.

- Cholera - powiedziała Elvi. Do wszystkiego można się przyzwyczaić. Elvi popatrzyła na swój los zdecydowanie pod innym kątem. - Nic nie szkodzi, pomału pójdę dalej.

Podziękowała gospodarzowi i wyruszyła.

Miała wrażenie, że obrała dobrą drogę, nieco tylko trudną do przejścia, mało bezpieczną i z wieloma przeszkodami oraz często niewidzialnymi wrogami, którzy ujawniali swe oblicze zbyt późno, albo w ogóle. Spotkanie z nimi kończyło się masakrą, ale pogodzenie z losem również. Skoro coś ją przewraca na drodze, to się podniesie i pójdzie dalej, dopóki będzie miała siłę, uznała. I tak opuściła kolejną krainę.

&&&

Dalsza żmudna droga przed nią. Nie było gdzie odpocząć. Zmęczona dotarła do jakiejś zagrody.

- Dalej nie idę - postanowiła. - Mam dosyć tej wędrówki.

Gospodarz był pod wrażeniem widząc przed sobą smukłą, ciemnowłosą dziewczynę, której wyczerpanie wcale nie odebrało uroku osobistego. Wręcz przeciwnie. Uznał, że to musi być niezwykle odważna kobieta, która w drogę udała się sama, nie mając być może nawet środków na przeżycie. Gospodarz rad ze swej przytulnej, dość obszernej gospody zaprosił Elvi do stołu.

- Nie mam sił iść dalej, mogę dla ciebie pracować, bo nie mam czym zapłacić za pokój - powiedziała po prostu patrząc na jego reakcję.

- Mam na imię Fort - podał jej rękę. - Siadaj z nami, zaraz podajemy wieczerzę. Usiadła. - Lubisz ryby?

- Lubię - była mało rozmowna. Zdążyła już zauważyć, że z gospodarzem może być kłopot. Był człowiekiem niezwykle wysokim i postawnej postury. Sprawiał też wrażenie, że jak sobie coś postanowi, to nie popuści, póki nie osiągnie zamierzonego rezultatu.

A teraz jego celem wydawała się być Elvi, znajomość z nią, kontakt. Elvi zobaczyła jego iskrzące się nie tylko od ognia w kominku oczy, ale też zapowiedź - postanowienie, dotyczące jej. Poczuła lęk, na którego odparcie wiedziała, że nie jest przygotowana.

- Mamy wino, mamy wszystko co chcesz - jedzenie zostawało podawane do stołów. Fort wyjął z ust swoją fajkę, wypuścił dym i znów przyjrzał się Elvi.

- Skąd przybywasz?

- Z daleka - odparła i uznała, że jakie pytanie taka odpowiedź.

- Tajemnicza jesteś - Fort już nie wypytywał. - Zostań u nas, odpocznij, niczym się nie martw. Przygotuję ci osobiście pokój.

Elvi podziękowała i udała się na spoczynek kiedy tylko pokój był gotowy.

Rankiem sumienie przekonało ją, że należy podziękować, a nie tylko być podejrzliwym w stosunku do zamiarów gospodarza. Zeszła z drugiego piętra, gdzie dostała śliczny, mały pokoik, tak czysty, jakby był codziennie sprzątany przez bardzo dokładne ręce. Na parterze gospody ogromna przestrzeń została połączona w jadalnię, bar, przejście do kuchni i recepcję dla przybywających gości.

Za barem tym razem stała kobieta, wycierając szklanki udzieliła informacji.

- Wyjechał w interesach, będzie za kilka dni - dodała. Elvi się zmartwiła. Nawet nie podała gospodarzowi ręki. Rzuciła tylko szybkie: dziękuję i zamierzała wrócić do swojego pokoju. I co ona teraz będzie robiła tu przez kilka dni? Z pomocą przyszła jej ta sama kobieta. - Pan mówił, żebyś odpoczywała i, że porozmawiacie jak wróci. Wszystko, czego potrzebujesz, znajdziesz zapewne tutaj na dole. Nie oddalaj się zbytnio po zmroku, co prawda bandytów w okolicy nie ma... - tu się zaśmiała dość nieszczerze jak na gust Elvi. - Przynajmniej nic mi o tym nie wiadomo - dodała. - Lepiej po zmierzchu być w domu.

- Czy mogę dostać śniadanie? - zapytała Elvi. - Mam na imię Elvi - przypomniało jej się nagle, że nawet się nie przedstawiła.

- No pewnie. A ja Rina - wytarła rękę w ścierkę i wyciągnęła ją do Elvi. - Dana, podaj śniadanie dla jednego gościa - krzyknęła w stronę kuchni.

- Ja mogę pomóc - zaofiarowała się Elvi.

- Ty dziecko siadaj i poczekaj - żachnęła się Rina. Pan mówił, żebyś odpoczywała. Podobno z daleka przybywasz. Z jak daleka? - Rina nie mogła pohamować ciekawości, ale Elvi uśmiechnęła się lekko. Skoro to tylko ciekawość, to odpowie.

- Z zupełnie innej krainy, gdzie mówią innym językiem i wszystko jest inaczej.

- No, tajemnicza jak nic, miej litość dla starszej kobiety. Skąd jesteś? - Rina udała staruszkę, którą nie była. Była wysoka, prawie jak Fort i dosyć mocno zbudowana.

- Z Satarniany - odparła Elvi.

- O matko! Toż to daleko! I sama tak tu szłaś? Za naszą krainą jest już tylko woda. Tam dalej już nic nie ma. Musiałaś przejść przez Precelanię, żeby do nas dotrzeć, do Kanalanii, znaczy się. O, śniadanie jest, siadaj i smacznego. Ja zaraz muszę lecieć.

Elvi zasiadła, a w izbie zrobiło się nagle jakby pusto. Goście gdzieś wyszli. Rina pospieszyła na górę, a na recepcji też nikt nie siedział. Nagle w izbie zrobiło się bardzo ciemno, a przecież poranne słońce jeszcze przed chwilą zaglądało do okien. Zaniepokojona Elvi wpatrywała się w drzwi doznając znanego sobie odczucia, że wróg się zbliża. Zdążyła co prawda posilić się, ale teraz siedziała jak wykuta z kamienia rzeźba, całkowicie koncentrując się na tym, skąd tym razem przyjdzie atak i czemu tak szybko wróg ją wyśledził.

Drzwi otworzyły się, a przez próg wkroczył ten, którego twarzy wcale nie chciała oglądać. Zresztą wiedziała, że za każdym razem przybiera inną postać. Tym razem miał twarz starca, ubranego w łachmany. Początkowo wzięła go za gościa. Nie rozpoznała go.

- Witaj - powiedział prawie słabo. - Mam dla ciebie ważne wieści - usiadł, a ona nie odzywała się, więc mówił.

- Zgubiłaś drogę, nie wiesz dokąd idziesz, więc i tak już tam nie dojdziesz. Daj sobie spokój. Nie znajdziesz swojej krainy. Poza tym jesteś za słaba. Trzeba było zacząć wędrówkę wcześniej, bo teraz nie osiągniesz już celu. No tak, nie dano ci środków. Ale ty sama też sobie ich nie umiesz wziąć. Nie nadajesz się do tej drogi. Mówię ci jak przyjaciel, dla własnego dobra odpuść sobie. Kraina ta nie istnieje, to nierealne - roześmiał się pobłażliwie. - Myślisz jak mała dziewczynka, która słyszała zbyt wiele bajek. Słyszałaś o bajkach? Zresztą nikt nie wierzy w twoje zdolności. Niczego nie możesz udowodnić. Nawet tego, że mnie widzisz - roześmiał się.

Prawie niewidoczna strużka energii życia zaczęła wyciekać z Elvi w kierunku przybysza. Zakręciło się jej przed oczami. Głowa zrobiła się nagle ciężka i byłaby upadła prosto w pusty talerz, gdyby jej ręka nie przesunęła się nieświadomie odsuwając naczynia, które spadły na podłogę. Zaraz potem na podłogę osunęła się Elvi. Hałas sprowadził z piętra Rinę, wyczuloną na nowych gości. Demona w postaci włóczęgi już nie było. Posilony jakby rozwiał się w powietrzu.

- O matko, co tutaj się stało? Pomocy! Chłopcy pomóżcie, panienka zasłabła - Elvi leżała na podłodze nie wykazując znaku życia. - No, trochę oddycha - Rina jakby sama zaczerpnęła tchu. Jej dwóch synów ujęło Elvi i zaniosło do pokoju na górę. - Oj, Pan nie będzie pocieszony, ona mu się spodobała. Ładna z niej dziewczyna swoją drogą, ale co tu się stało? To chyba wyczerpanie. I co tak ciemno tu? Burza była czy co? No, słońce w końcu wychodzi - Rina towarzyszyła swoim synom na górę. Usiadła przy łóżku i powiedziała: - Śpij. Niech sobie pośpi. Ja tu przy niej posiedzę, a wy tam dokończcie tę robotę na samej górze, już niewiele zostało, goście będą dopiero na wieczór.

&&&

Elvi spała, demon pojawiał się wręcz regularnie. Nawet nie próbowała się bronić.

- Panienka wygląda na chorą - martwiła się Rina. - I co ja powiem panu?

Gospodarz jakby na te słowa pojawił się w drzwiach pokoju. Natychmiast podszedł do łóżka.

- Jesteś chora? - zapytał.

- Niezupełnie - Elvi wyznała zgodnie z prawdą. - Nie w sensie fizycznym - dodała. Doskonale wiedziała, że z niczym nie może się zdradzić, bo nikt jej nie uwierzy, a bardzo łatwo zostanie wzięta za osobę niespełna rozumu.

- Porozmawiajmy - nalegał Fort. - Chcę ci pomóc. Ale musisz mi chociaż trochę opowiedzieć o sobie, żebym widział jak mogę to zrobić.

- Ja potrzebuję... - Elvi się zawahała. - Nie możesz mi pomóc - zrezygnowała.

- Ależ daj mi szansę - ujął ją za rękę.

- Ty już wiele zrobiłeś. Dziękuję ci już teraz za pomoc, bo mam dach nad głową.

- I niech już tak zostanie - roześmiał się gospodarz. Cóż to za ogromny mężczyzna, przemknęło jej przez myśl. Jakby całą swoją osobą wypełniał dość sporą izbę. Elvi zastanawiała się ile on może mieć lat.

Pewnie ze trzydzieści. Wydawało jej się, że to bardzo wiele. – Ja cię stąd nie wypuszczę – znów się do niej uśmiechnął, a ona mu odpowiedziała tym samym. – Możesz tu mieszkać ile chcesz.

– Ile ty właściwie masz lat? – zapytała Elvi.

– Trzydzieści trzy a ty, dwadzieścia?

– Siedemnaście – oburzyła się, przypominając sobie, że ma tak mało czasu. Jej wędrówka potrwa lata i nie wiadomo czy osiągnie cel, o którym już tylko niejasno pamięta, że i owszem cel posiada. A teraz nie ma siły, by iść dalej. Fort śmiał się pokazując swoje białe zęby i dodał.

– Nie bierz mi tego za złe. Jesteś taka śliczna, chyba wolałbym byś była nieco starsza. Oblicze dziewczyny zarumieniło się.

– Zatem? – Fort nalegał. – Jak mogę ci pomóc?

– Nie wiem, ale... – znów się zawahała. – Czy znasz może tu kogoś, kogo nazywają człowiekiem wiedzącym...

– Chodzi ci o szamana?

– Coś w ty, rodzaju – starała się mówić swobodnie.

– Ach... – Fort nagle zamilkł nie chcąc się zdradzić ze swoimi myślami. – Zastanowię się. Muszę przyznać, że coraz bardziej mnie intrygujesz. Śpij dobrze, a ja pomyślę, do zobaczenia jutro – uśmiechnął się i chwilę potem już go nie było.

&&&

– Elvi wstawaj! – rozpromieniony Fort pukał do jej drzwi nazajutrz rano. – Znalazłem! Wyruszamy niedługo. Osiodłam ci konia. Jesteś tam?

– Jestem – odkrzyknęła Elvi, która już nie spała, lecz wyczerpana nocną walką prawie nie miała sił, by wstać. – Zaraz będę na dole.

– Rina da ci śniadanie, ja będę przy koniach – Fort podniecony zbiegł na dół. Tryskający zawsze energią i pogodą ducha pospieszył do swoich ukochanych koni i przygotował dwa ulubione na wspólną podróż. Fort był człowiekiem prostym, utrzymywał posiadłość odziedziczoną po rodzicach wynajmując pokoje, prowadząc restaurację i polując w pobliskich lasach. Cenił sobie równie proste, osiadłe życie.

Nie stronił od rozrywki, strzelał z łuku, urządzał zawody, organizował imprezy w swej przytulnej karczmie, a ludzie nie wiedzieć czemu kochali go. Nigdy zbytnio się nie zwierzał, ale zawsze z każdym potrafił rozmawiać. Wiedział jak przez cały wieczór prowadzić lekkie rozmowy salonowe, ale o czym tak naprawdę, tego nikt nie wiedział, nawet on sam nie pamiętał. Rodzice zginęli kiedy był dzieckiem, więc z tego okresu też niewiele pamięta. Wychowywała go Rina, dobra, poczciwa Rina, była mu prawie matką. Fort nigdy nie interesował się szamanami i tym co robią. Nie miał do nich żadnego nastawienia. Teraz, przez wzgląd na Elvi, ciekawość dała jednak znać o sobie.

Co taki szaman robi i na co jej ktoś taki? Zaraz, a czy szamani przypadkiem nie zajmują się jakimiś nadprzyrodzonymi rzeczami? Zatem co takiego przytrafiło się Elvi, rozmyślał siodłając konie.

- Elvi, tu masz śniadanie, a tu jest prowiant dla was na drogę - Rina podała torbę wypakowaną jedzeniem i napojami. - Niech pan tak piwa nie żłopie, bo nie starczy na potem - zwróciła się do Forta. - Ty go przypilnuj, bo jeszcze drogę pomyli albo co - uśmiechała się do Elvi, która pomyślała, że też chciałaby się tak beztrosko uśmiechać jak wszyscy wkoło. Panowała tu jakaś ogólna życzliwość.

- Gotowa? - Fort zajrzał przez drzwi do karczmy.

- Gotowa - Elvi po raz pierwszy nieśmiało się uśmiechnęła.

- Jak ci do twarzy z uśmiechem - natychmiast zauważył Fort. - Będziemy jechać niecały dzień. Na wieczór będziemy na miejscu. Najpierw przez las, potem wioskę, tam się zatrzymamy i znów czekają nas lasy.

- To już lepiej ruszajcie - Rita sprawdzała spakowany prowiant, czy dobrze się trzyma. - Nie trzeba w nocy po lasach się włóczyć. Pan optymista jest, a ja swoje wiem. Ruszyli.

- Jestem bardzo ciekaw jaką sprawę masz do szamana - Fort zaczął rozmowę, bo Elvi mało się odzywała. - A czym właściwie zajmują się szamani?

- Ach to różnie, możliwe, że każdy ma swoją specjalność. Niektórzy pomagają rozwiązywać problemy, inni leczą, doradzają - Elvi starała się pokrótce wyjaśnić.

- A jak oni leczą?

- Kontaktują się z duchami przodków, ale niekoniecznie.

- To ciekawe. Nie wiem kim jest ten człowiek, ale mówili, że on się zajmuje dziwnymi sprawami, a twoja sprawa wygląda mi na dziwną. Elvi się roześmiała.

- No proszę, nic nawet nie wiesz, a już bierzesz mnie za dziwną. Widzisz? To co by było gdybym ci powiedziała o co chodzi.

- Dobrze by było! - Fort nie dał się zbić z tropu. - Muszę przyznać, że jestem bardzo ciekaw, a cokolwiek to jest, mam nadzieję, że może ta osoba będzie mogła pomóc. Zawsze jest jakieś wyjście z sytuacji. Trzeba tylko to zaplanować - dla niego wszystko było takie proste.

Elvi nagle posmutniała. Dla niej nic nie było proste.

- A co wiesz o tym człowieku? - dopytywała Elvi kiedy zatrzymali się na krótki postój.

- Wiem, że mieszka w zamku, ale dla okolicznych to Dobry Pan, pomaga bardzo ludziom i właściwie przychodzą do niego po rady nie tylko ludzie z okolic. Daje mikstury na choroby, rozmawia. Czasem nic nie daje, ale ludzie mówią, że wychodzą odmienieni. Służbę też ma miłą. Każdy jest jak gość honorowy. No i nikt nie wie ile on ma lat. Krążą legendy, że na pewno ponad sto, bo wszyscy okoliczni go pamiętają i babki i dzieci. Pomyślałabyś? To się dziadek zakonserwował.

Elvi poczuła nadzieję wypełniającą jej serce.

&&&

Późnym popołudniem przybyli do miasteczka, zatrzymali się na rynku. Elvi nawet nie zauważyła kto zajął się końmi. Pospieszyła za Fortem.

- Mój dobry kompan ma tu karczmę. Mam nadzieję, że dziś jest w okolicy i go poznasz.

- Witaj bracie! - nie zdążyli jeszcze wejść do środka, kiedy Fort został powitany przez Dezydra.

- A, tu jesteś! - Fort się ucieszył. - Poznaj Elvi - przesunął się, by zrobić jej miejsce. - Dziewczyna spadła z nieba jak gwiazdka szczęścia do mojej karczmy - zażartował.

- Bardzo mi miło - Elvi nieśmiało podała rękę.

- Ho, ho - wydawało się, że Dezydr zaniemówił. - To piękna pani spadła tak prosto z nieba?

- Niezupełnie - Elvi nie zdążyła sprostować.

- Zapraszam do środka, pora sprzyja dobremu posiłkowi. Moja kochana Gardena przygotowała już coś. Czuć aż tu, same smakołyki.

Weszli do izby pełnej rozmów, stoły były praktycznie zapełnione nie tylko jedzeniem, ale i kompanami. W rogu stał jeden nieco mniejszy stół, przy którym nikt nie siedział i tam właśnie zasiadła Elvi z mężczyznami. Natychmiast przy Dezydrze pojawiła się Gardena.

- No, najwyższa pora, gdzie ty się szlajasz? Gorące jest, wszyscy jedzą i zaraz niczego nie będzie. A tu widzę nowi goście. Fort! Jak ja cię dawno nie widziałam - przywitali się, a Elvi znów chciała nieśmiało wyciągnąć rękę do młodej, pełnej życia kobiety, ale ta złapała ją w objęcia i dopiero po chwili puściła. - Siadaj piękna, zaraz dziewczyny wam podadzą, ja muszę wracać, by nadzorować towarzystwo.

Dezydr dowiedział się gdzie zmierzają i natychmiast chciał wiedzieć w jakiej sprawie. Ciekawość była zaraźliwa.

- Elvi jest tajemnicza i nie powie - ubiegł ją w odpowiedzi Fort. - No, ale może ty nam powiesz więcej o tym człowieku.

- Ha! - niemal krzyknął Dezydr. - To jest dopiero zagadka! Ten starzec to zagadka! Mówię wam, jak nic nie pomaga, to on pomoże. A ciężkie przypadki tam do niego wysyłają i są to nie tylko choroby - tu zniżył głos. - Nie żebym wierzył, ale słyszałem, że z jakiś opętań ten człowiek ratuje, gada z zaświatami, przepowiada. Mówią, że to mag jaki albo co. Nawet wampirom daje radę. Też nie, żebym wierzył w ludowe historie, ale na dziwne ugryzienia też coś ma. Na uroki wiedźm i tak dalej. Ja nie wiem, może on buja, ale ludzie wracają do niego. Nie wiem z czego on żyje, bo ludzie mu dają tylko dary, on nie prosi o nic, tylko pomaga. Jak ktoś daje, to daje, jak nie ma to nie daje. Pomyślelibyście? A ta służba to mu oddana jak nie wiem. Ogromny zamek zaraz za lasem ma. Tam dojedziecie już prosto tym traktem - wskazał ręką za okno karczmy. - Niedługo będzie, już końcówka drogi wam została.

&&&

Zamek wyglądał równie potężnie, co otaczające go porośnięte lasem góry. Konie się zmęczyły, droga bowiem prowadziła konsekwentnie pod górę. Wielka kołatka przymocowana do wrót przyciągnęła uwagę Elvi. Miała wyrzeźbione napisy i coś jakby małe rzeźby wokół. Fort zsiadł z konia i podszedł bliżej.

- Może dziś już za późno, zmartwił się - zmierzchało. W oddali zahuczała sowa.

Już chciał zastukać, kiedy potężne wrota same zaczęły się rozsuwać. Zaraz za nimi pojawił się zadowolony chłopak, mający nadzieję, że pewnie wywrze dobre wrażenie na gościach.

- Wjeżdżajcie, on na was czeka! - oznajmił.

- Naprawdę? - wyrwało się Elvi.

- No pewnie, na dziś już nie ma więcej wizyt poza waszą.

Elvi spojrzała na Forta, równie zdumionego co ona. Zaraz jak tylko przekroczyli próg, wrota ponownie się zamknęły.

- Cały czas prosto - powiedział chłopak. - No, na dziś koniec tego witania i żegnania gości, zatem pokażę wam drogę. Mam na imię Prot - przedstawił się i wymienił uściski dłoni z przybyszami. - Tu na dziedzińcu zostawicie konie, my się nimi zajmiemy, a tam jest wejście - pokazał ręką.

- Witam, witam - zadowolona staruszka stała w wejściu. - Herbatki? - zaproponowała, wyściskawszy gości i wymieniwszy się imionami. Leonta zaprowadziła ich do komnaty, gdzie oczekiwał mag.

Starzec wcale nie miał magicznych szat, jak zdążyła go sobie wyobrazić Elvi. Proste spodnie, owszem, siwa broda i włosy dodawały mu autorytetu, ale ubranie przeczyło jakiejkolwiek pozie wielkiego maga.

- Agaton jestem - serdecznie się z nimi przywitał. - Myślisz, że w ciężkim stroju maga wyglądałbym bardziej przekonująco? - zwrócił się do Elvi z rozbawieniem w oczach.

- Ależ nie, ja tylko myślałam.

- Tak, tak, ach te stereotypy - westchnął. - Najpierw zapraszam na posiłek, a potem porozmawiamy o tym, co was sprowadza.

W obszernej kuchni wszystko było już podane, jakby przewidziano udział gości w uczcie. Agaton popatrzył na Elvi przenikliwym wzrokiem, a przynajmniej jej się tak wydawało.

- Niedobrze - westchnął. - Taka młoda, a taka wyczerpana - umilkł i zajął się jedzeniem.

- Ja już nie mogę! - Elvi przemówiła nie mogąc dłużej trzymać w sobie cierpienia, jakie nosiła tak długo.

- Chicho, cicho - uspokoił ją Agaton. - Popij herbatki.

Elvi posłusznie przeszła od nagłego dramatycznego zrywu szczerości do spokojnego spożywania kolacji.

Kiedy skończyli, Agaton poprosił tylko Elvi do komnaty, gdzie przyjmował ludzi.

- Ty nie, młody człowieku - zatrzymał Forta. - Zresztą nie wiesz czego dotyczy sprawa, a ja nie jestem upoważniony do powiedzenia tego. Elvi powie sama, jak będzie chciała.

Fort poczuł się zawiedziony, ale serdeczna Leonta już wiedziała jak się nim zająć.

- Mam coś dobrego - zakomunikowała z błyskiem w oku i otworzyła drzwiczki barku. - To jest dopiero naleweczka, niebiańska, obiecuję - Fortowi oczy również się zaiskrzyły i chwilowo zapragnął dotrzymać towarzystwa Leoncie.

- Leonta, nie rozpijaj mi gościa - dało się jeszcze słyszeć oddalający się głos Agatona.

Leonta na to tylko radośnie się zaśmiała.

&&&

- No dobrze, pokaż ty mi się dziecko - Agaton przyglądał się jej tym razem z większą troską. Po chwili zamknął oczy i uniósł rękę jakby chciał dotknąć czegoś w powietrzu. - Samo nie przejdzie - zawyrokował otwierając oczy. - Musisz się uczyć. Ja ci nie pomogę - Elvi miała łzy w oczach. A więc wszystko na marne? - Ja mogę wspomóc cię doraźnie, dać ochronę na jakiś czas, a potem on wróci i zaatakuje ponownie - wydawało się, że Agaton doskonale wie, co trapi Elvi. - Czas najwyższy dla ciebie, by nauczyć się obrony i w ogóle dysponowania energiami. To ciekawe... - nagle się zamyślił, a po chwili kontynuował. - Że też się przyczepiło do ciebie. Coś musi w tobie być, coś co jest cenne i on to chce zabrać, a nie może.

Elvi miała mnóstwo pytań, które teraz prysły jak bańka mydlana. Chciała się wyżalić, prosić o pomoc. A tu proszę, wydawało się, że odpowiedź została udzielona. Poza tym jakoś wszystko nagle stało się jasne. Nic nie rozumiała, a jednak czuła, że rozumie. Czy to wpływ tego człowieka?

- Zostajesz, a ten młody człowiek będzie cię odwiedzał - uśmiechnął się Agaton.

- Jaki tam młody, on ma ze trzydzieści lat - oburzyła się Elvi.

- No, no, dodaj jeszcze zero i będziesz miała mój wiek.

- Och - Elvi podniosła rękę do ust w geście zażenowania.

- Żartowałem - Agaton śmiał się śmiechem potężnym wydobywającym się jakby ze studni, a nie z ludzkiego organizmu.

- Aha - Elvi się nie śmiała, w ogóle brak jej ostatnio było poczucia humoru i łatwo można było ją oszukać.

Agaton podszedł bliżej i delikatnie poklepał ją po policzkach. Każdemu by się wyrwała i uciekła, ale on to zrobił tak naturalnie jakby ją budził ze snu.

- No, budź się - powiedział.

- Ja nie mogę zostać - Elvi jakby właśnie się przebudziła i dotarło do niej, że przecież dopiero co poznała Forta i będzie jej brakowało jego towarzystwa.

- Wszystko da się załatwić, ważne, żebyś jak najszybciej zaczęła się uczyć. Pamiętaj, nikt nawet nie zobaczy wroga. Musisz pomóc sama sobie. Jutro po śniadaniu zaczynamy pierwsze lekcje. Spotkamy się w lochach, a teraz chodźmy do twojego wesołego towarzysza, zanim moja małżonka go załatwi tymi nalewkami. I jeszcze jedno, póki jesteś w zamku, nic ci nie grozi - oblicze Elvi wręcz się rozjaśniło, poczuła się nagle lekko i dobrze.

- A, to ja już się stąd nie ruszam - pierwszy raz od wielu, wielu miesięcy pozwoliła sobie na swobodny ton głosu.

Ożywiona wbiegła wręcz do komnaty, gdzie towarzystwo siedziało również w doborowych nastrojach.

- Elvi! - ucieszył się Fort. - Jak dobrze wyglądasz! Tak szybko otrzymałaś pomoc? Świetnie! To wracamy!

- Obawiam się, że w tym stanie nie jesteś nawet zdolny by wsiąść na konia. Te nalewki są dosyć mocne, chociaż ich się na początku nie czuje. Poza tym Elvi nie może z tobą wrócić.

- Jak to? - Fort nie krył rozczarowania. - Czy ja się wreszcie dowiem o co tu chodzi, czy będę pozostawiony we wcale nie błogiej nieświadomości? - udawał, że się obraził. Agaton spojrzał na Elvi.

- Chyba czas, byś mu powiedziała, wydaje się wart zaufania - zachęcał.

Elvi nagle przestała się obawiać jak Fort przyjmie jej przykre doświadczenia niemające związku z rzeczywistością, a przynajmniej tą widzialną. Już zbierała się do znalezienia odpowiednich słów, kiedy znów jakby zapadła się w sobie.

- Ot, jeszcze nie czas - Agaton uznał za stosowne się wtrącić. - Za pozwoleniem - spojrzał na Elvi, a ona przytaknęła głową. - Elvi musi zostać, by studiować wiedzę, która pomoże jej się uchronić w przyszłości. Tutaj jest bezpieczna, ale poza zamkiem już nie. Elvi zrobiła coś, czego nie powinna. Dotknęła czegoś, czego również nie powinna, ale ciekawość zwyciężyła. No i teraz musi się nauczyć...

- Będziesz ją szkolił na... jak oni się nazywają?

- Nie mam pojęcia, nazwy są zbędne.

- Ale będziesz ją uczył tego, co ty umiesz?

- Mniej więcej, nie wiemy jakie ma zdolności.

Fort siedział zamyślony, wpływ nalewek jakoś złagodniał.

- To jest jednak poważna sprawa.

- Jak najbardziej - odparł Agaton.

- Czy ja mogę ją odwiedzać?

- No pewnie, zostań na razie kilka dni, a potem będziesz nas odwiedzać.

&&&

Elvi szła korytarzem prowadzącym coraz bardziej w dół. Pochodnie wyznaczały pewien kierunek, chociaż jak na jej gust było za ciemno. Elvi bała się ciemności. Ciemność zachęcała do wizyty tego, przed którym uciekała.

Koniec korytarza kończył się trzema drzwiami prowadzącymi do komnat. Odgłosy jakie słyszała zza drzwi wzbudzały jej ciekawość. Tam się coś działo, coś się odbywało. Wybrała drzwi środkowe, które nieznacznie były uchylone.

- Witaj - Agaton siedział za ogromnym biurkiem z ciemnego drewna i kończył pisać w księdze. - Zapraszam, rozgość się w fotelu naprzeciwko mnie - wskazał jej miejsce. Usiadła, powoli rozglądając się wokół. Pełno tu było ksiąg, półek, ale środek komnaty był pusty. Była też tarcza, ale nie zauważyła lotek, którymi można by do niej trafiać. Na środku podłogi zakreślone było koło. Kamienna, ciemna podłoga i tylko pochodnie zawieszone w kilku miejscach na ścianie.

- Przede wszystkim cokolwiek tu się nauczysz, obowiązuje cię tajemnica. I nie chodzi tylko o ochronę starożytnej wiedzy, by nie wpadła w niepowołane ręce, lecz chodzi o ciebie. Po prostu nikt ci w wiele rzeczy nie uwierzy. Cokolwiek tu doświadczysz i zobaczysz, poczujesz, usłyszysz jest na twój prywatny użytek. Jeśli złamiesz tę zasadę licz się z tym, że zostaniesz społecznie uznana za: wiedźmę, osobę niebezpieczną, czarownicę, kobietę o pomieszanych zmysłach, chorą psychicznie czy coś w tym stylu. Ludzie boją się, jeśli czegoś nie rozumieją. Swoje sekrety zachowaj dla siebie. Nauka będzie żmudna, a dla adeptów bez nauczyciela jest niebezpieczna, czeka cię mnóstwo nudnych ćwiczeń - Agaton mówił, a Elvi zamiast zniechęcenia czuła coraz większy zapał i pragnęła jak najszybciej zacząć.

- Najpierw teoria - wskazał na stos ksiąg piętrzących się na jego biurku. - Masz jakieś pytania?

- Tak, a czy mogę powiedzieć Fortowi? Chociaż część?

- Fortowi powiesz wiele i tak, ale co do innych bądź ostrożna, zresztą sama zobaczysz. Niejednokrotnie złamiesz tę zasadę, oby tylko nie miało to ogromnych konsekwencji. Po prostu uważaj. Nawet ci, którzy wydają się bliscy i pełni zrozumienia, rzadko kumają o co chodzi. Taka wiedza wtedy pogłębia przepaść między tobą, a społeczeństwem. Nauczysz się pomóc sobie, bronić siebie, walczyć, a potem pomożesz innym, to będzie twoja zapłata na naukę u mnie. Jak będziesz miała szczęście znajdzie się uczeń, któremu przekażesz tę wiedzę, ale nic na siłę.

Ach, i jeszcze jedno. Jeśli komuś pomożesz, nie spodziewaj się wdzięczności. Część z tych osób w ogóle nie rozpozna co zrobiłaś. I nie próbuj im tego tłumaczyć. Ważne, że lekarstwo zadziała, nieważne z czego zrobione - Agaton uśmiechnął się na koniec podając jej książki. - To kilka na początek. Życzę miłej lektury, masz tyle czasu ile chcesz, pytaj o wszystko co chcesz.

- Mogę to wynieść na słońce, na zewnątrz, czy tylko tu mi wolno czytać?

- Ależ czytaj gdzie chcesz, na słońcu, w komnacie, w wychodku, wszędzie gdzie ci możliwości pozwolą. Im więcej zmian miejsca, tym lepiej. Przy okazji zwracaj uwagę na to, co dzieje się wokół ciebie w trakcie czytania książek. A tu masz zeszyt, zapisuj swoje spostrzeżenia, pytania, co tylko chcesz, co tylko wyda ci się warte zanotowania. Ciężkie księgi wcale nie przeraziły Elvi. Nagle poczuła się szczęśliwa. Znajdzie odpowiedzi na swoje problemy i nauczy się bronić. Czyż to nie cudowne? Pospieszyła na górę, oby do światła dziennego.

Usiadła pod dębem w cieniu ogromnego drzewa i z ciekawością otworzyła pierwszą księgę: „Wprowadzenie", zaczęła czytać i natychmiast wypieki pojawiły się na jej policzkach. Z oddali, przez okno w zamku Fort dojadający właśnie śniadanie obserwował Elvi. Leonta krzątała się obok.

- Zobacz Leonta, co ona tak czyta. Jestem ciekaw, pójdę do niej - już wstawał.

- Siedź, jak masz na czym - przestrzegła go Leonta. - Zawołamy ją na obiad, a teraz mi trochę pomożesz, trzeba pojechać do wsi, osiodłaj konie, a ja zaraz będę gotowa.

- To ty jeździsz konno? - Fort zapytał zanim pomyślał, że nie wypada. - Oj, przepraszam.

- Pewnie, od zawsze - Leonta śmiała się perliście, cokolwiek to znaczy. - Chodź nauczysz się i ty czegoś. W mieście czekają na mnie, mam kilka pilnych spraw do załatwienia, bo mój mąż nie zrobi wszystkiego sam.

&&&

Zaczytana Elvi chłonęła wiedzę jak gąbka wodę. Czasem wstawała i przechadzała się z książką w ręku, jakby nie chciała tracić ani chwili na rozprostowanie kości. Poszczególne działy ksiąg wydawały się potężne, mitologia tego i tamtego, historia. A gdzie praktyka, zdawało się przemknąć przez myśli Elvi. Przecież ja to wszystko wiem, no może nie wszystko, ale znaczną część. Jakby mi się przypominało, mówiła do siebie w myślach. Tylko gdzie ja to czytałam? Elvi przeniosła swe myśli do rodzinnego kraju, skąd musiała uciekać. Wojna zabrała jej bliskich, jakaś starsza kobiecina, której wszyscy się obawiali, bo być może wiedziała za dużo powiedziała jej:

- Uciekaj, tutaj zginiesz, to cię tu dopadnie, uciekaj jak najdalej.
- Chodź ze mną - zaproponowała Elvi, ale kobieta zrezygnowała. Była bardzo samotna, wnioskowała Elvi, obserwując codziennie jak ludzie się od niej odsuwali, uznając za nienormalną.
- Tu się urodziłam i tu umrę, taka wola losu, ale ty uciekaj, bo tu cię czeka to, co mnie. Tu się będą śmiać z ciebie. Daleko stąd będziesz kobietą mądrą, kobietą wiedzy. Już niedługo - Elvi miała łzy w oczach i nie miała serca zostawiać tak starej kobiety - odkryjesz talenty o jakich teraz tylko śnisz. - Kobieta się uśmiechnęła, po czym wykrzywiła w napływie kolejnego bólu nóg. - Idź dziecko, bo będzie za późno, zdążysz, ale musisz już iść. Bądź tylko ostrożna, nie pozwól, by to, co cię ścigało, przestraszyło cię. To cię będzie mamić, ale pamiętaj dokąd zmierzasz wszystko będzie dobrze. I nie słuchaj ludzi, patrz w ich intencje, ty to potrafisz.
- Ja nigdy ich nie słucham - Elvi uśmiechnęła się przez łzy.
- Uparciucha - zażartowała kobieta i nagle rozejrzała się z niepokojem wokół. - Moja śmierć się zbliża, uciekaj, oni tu idą - Elvi się zawahała. - Wynoś się! - staruszka dostrzegła to, wzięła laskę i zaczęła okładać Elvi, która nie miała wyjścia jak tylko poderwać się na nogi i zacząć uciekać. Staruszka bowiem zdołała się nawet podnieść i żwawo, choć w bólu zmierzała w jej stronę. Elvi płakała i biegła. Zmierzała na wzgórza, bo tam było bezpiecznie. Przez jakiś czas chroniła ją jaskinia, wiedziała jednak, że już niedługo. Szlochając, dobiegła prawie do szczytu wzgórza i dopiero wtedy obejrzała się za siebie. Wioska płonęła. Stara kobieta tam została. Krzyki zabijanych jeszcze rozbrzmiewały echem po okolicy. W tym momencie Elvi upadła na kolana i zaczęła krzyczeć. Opętana bólem i szałem krzyczała, spoglądając z pogardą, żalem w niebo, jakby stamtąd miała przyjść odpowiedź. Zbyt szybko zrobiło się ciemno. Odpowiedział jej grzmot zbliżającej się burzy, a potem niebo zapłakało ulewą. Czyżby staruszka oddała ducha? Elvi szlochała. Gdzieś na niebie dostrzegła chmurę

przypominającą szare, okrutne oblicze, które się wyśmiewało i zdawało mówić do Elvi.

- Nie uciekniesz mi.

- Uciekaj! - Elvi zdawała się słyszeć nakaz staruszki i prawie dostrzegała jej oblicze gdzieś wysoko na niebie.

- Elvi! Co się dzieje? - Front chwycił roztrzęsioną dziewczynę, która wydawała się tracić kontakt z rzeczywistością. Właśnie wracał z wioski, gdzie asystował pomagając Leoncie.

- Hę? - odpowiedziała mu mało przytomnie.

- Co ty czytasz? Czy to te książki? - Fort zaczął przeglądać księgi. - A co to za tytuły?

- To nie książki - za nim pojawiła się Leonta. - To wspomnienia... Czas na obiad, zabierajcie te lektury zanim deszcz tu spadnie. Zapraszam do środka.

Fort nie był przekonany.

- Wszystko w porządku - przyznała Elvi. - To nie te książki - uśmiechnęła się słabo. Opowiem ci...

- Czekam z niecierpliwością.

&&&

- Agaton - Elvi zagadnęła przy obiedzie. - Chciałabym wrócić z Fortem do domu na jakiś czas, czy jest możliwość...

- Do pewnego stopnia, ochrona starczy na jakiś czas, kilka dni, a potem musisz wrócić dopóki sama nie nauczysz się bronić.

- A jakiś przyspieszony kurs? - zażartowała Elvi.

- Elvi to jest nauka na lata - Agaton zrobił się nagle bardzo poważny.

Elvi posmutniała, nadzieja na szybką ulgę gdzieś zniknęła.

- Wiele zależy też od ciebie - Agaton dostrzegł zmianę w nastroju Elvi. - Nie ma się co martwić na zapas. Zobaczmy dziś po obiedzie jak ci pójdzie.

Udali się znów do komnaty w lochach zamku.

- Teoria jest bardzo prosta - zaczął Agaton. - Kiedy to się zacznie... - instruował Elvi, a ona starała się wszystko zapamiętać.

- Teraz uważaj, stań w kole, kiedy poczujesz się gotowa, wyjdź. Nastąpi atak, opieraj się jak długo zdołasz, a kiedy poczujesz, że już dość, wróć do koła.

Elvi stała jak sparaliżowana. Nie chciała, by to wróciło.

- Nie martw się to tak na niby - zachęcał Agaton. - Jesteś tu bezpieczna. Elvi stanęła w kole. Po chwili bardzo ostrożnie wysunęła rękę poza obręcz. Z ręki natychmiast coś zaczęło się sączyć, przeźroczysta strużka jakby dymu. Elvi patrzyła na to i poczuła, że powoli traci siłę woli, słabnie i zaczyna jej się robić wszystko jedno.

- Elvi, broń się! - gdzieś w oddali słyszała głos Agatona. - Cofnęła rękę bardziej siłą woli, energia natychmiast powróciła.

- Dobrze - pochwalił Agaton, chociaż ona czuła, że nie zasługuje na pochwałę, nie była w stanie przecież się obronić. Osłabła natychmiast. Nagle poczuła panikę przed opuszczeniem zamku. - Naprawdę dobrze, udało ci się wycofać - Agaton mówił dalej. - Przecież pamiętasz, że nie jest łatwo podjąć działanie, kiedy wola i siły słabną, co?

- No tak - przyznała mu rację.

- Chcesz spróbować jeszcze raz? Wiem, że to męczące, ale im dłużej ćwiczysz, tym więcej masz szans - znów zachęcał.

- No dobrze - zgodziła się.

Tym razem zaraz jak tylko zobaczyła, że jej energia zaczyna wyciekać, usiłowała skoncentrować się na zatrzymaniu tego procesu. Kropelki potu wystąpiły jej na czoło. Energia wciąż wyciekała, ale jakby mniej, wolniej. Wyczerpana cofnęła gwałtownie rękę.

- O dobrze, na dziś wystarczy. Masz trzy dni i musisz tu wrócić, ale w razie czego dam ci coś, gdybyś była w nagłej potrzebie - tu się uśmiechnął i powiedział co ma zrobić w razie niespodziewanego i niechcianego gościa. - Będziemy ćwiczyć po powrocie. Nauczę cię wyczuwać tę złą istotę. Takich jest wokół pełno, więc to cenna umiejętność. A potem zaczniesz zauważać bardziej subtelne sygnały. Pamiętaj tam gdzie kłótnia i nieporozumienia, tam nieproszeni goście

- Agaton uśmiechał się z taką troską, że Elvi wręcz robiło się błogo na sercu.

Czas ruszać w drogę powrotną. Elvi czuła się rozdarta. Z jednej strony dopiero co poznała Forta, z którym nie miała ochoty się rozstawać, z drugiej strony nauka u Agatona dawała jej nadzieję i pewnego rodzaju nowy rozdział w życiu, który sprawi, że nie będzie bezbronna i nie tylko obroni siebie, ale może w przyszłości będzie miała zawód. Do tego nie ukrywała sama przed sobą: jeśli jakaś wiedza była interesująca, to była to „ta" wiedza.

&&&

- Wracają! - Elvi usłyszała uradowany głos Riny, krzątającej się przed gospodą. - Jak panienka ślicznie wygląda - nie mogła się nadziwić Rina, a Elvi uśmiechała się pogodnie. Jakoś tak lekko na duszy jej było, jakby nagle wszystko co złe, gdzieś odpłynęło i miało już nigdy nie powrócić. Wiedziała, że to tylko na chwilę, ale co tam, cieszmy się póki można. Chociaż tyle. Oddalić to, niech sobie idzie.

Elvi studiowała jedną z ksiąg, które wypożyczyła z zamku. Było tak słonecznie i pięknie na łące, gdzie leżała wsparta na łokciach. Uniosła wzrok znad książki i dostrzegła zbliżającą się Danę.

- Masz tu prowiant skoro do gospody nie wracasz już tak długo.

- Och jak miło - ucieszyła się Elvi. - Siadaj ze mną, tak tu ładnie - nagle kolory wydały jej się takie wyraźne. Wszystko dostrzegała z całkiem nowej perspektywy. Wszystko wokół było piękne, kochane i jakieś takie świecące się żywym blaskiem, migoczące życiem.

- Nie mogę, mam jeszcze sporo do zrobienia w kuchni, trzeba posprzątać.

- Pomogę ci - nie zraziła się Elvi. - Siadaj, razem pójdzie nam szybciej, a ja i tak już skończyłam na dziś. Zresztą przerwa mi się przyda. A wieczorem będziemy trenować. Fort obiecał ze mną poćwiczyć.

- Mogę popatrzeć?

- Pewnie.

Elvi, jak obiecała wzięła się za podłogi kuchenne starannie myjąc je po całym dniu, a Dana spokojnie dokończyła swoją pracę przy naczyniach.

Razem pobiegły do koni, gdzie czekał już Fort.

- Jeszcze jednego dla Dany - powiedziała Elvi.

- Ty też? - zapytał Fort. - Będziesz trenować z nami? Elvi ma zadane dużo ćwiczeń, ale pewnie, możesz się dołączyć.

- Naprawdę? - Dana bardzo się ucieszyła. Do tej pory żadne sztuki walki jej nie interesowały, ale teraz Elvi zagościła w jej życiu i była tylko o rok starsza. Może Elvi będzie jej przyjaciółką?

Wkrótce pogalopowali na pobliskie wzgórze, gdzie razem rozpoczęli rozgrzewkę.

- To ja was pouczę jak się bronić - powiedział Fort i z dumą zaczął demonstrować, co potrafiło uczynić jego sprawne ciało. Obie mu klaskały.

- To nic takiego - Fort udawał skromnego. - To tylko taki popis, to jeszcze nie walka, ale teraz bierzcie kije moje panie i zaczynamy. - Podał każdej po przygotowanym wcześniej kiju i tłumaczył od postaw, jak mają je trzymać, jak uderzać i jak stać, by utrzymać równowagę.

&&&

Fort uznał, że wszystko jest już dobrze i nie docierało do niego za mocno, że Elvi musi wrócić. Dostrzegał tylko piękno Elvi, to, że wypoczęła.

- Zatem, twoje problemy zniknęły już, tak? - chciał się upewnić.

- Nic nie zniknęło - odparła zdezorientowana Elvi. Czyżby on zapomniał? - Zostało tylko oddalone.

- Ale przecież wyglądasz bardzo dobrze, Agaton ci pomógł.

- Dlatego muszę wrócić wkrótce, zanim znów będzie gorzej.

Fort nie rozumiał tego.

- Ja bym już nie wracał na twoim miejscu. Ja się tobą zaopiekuję, nie potrzebujesz tam mieszkać, a studiować możesz u nas też. Agaton może cię tutaj też uczyć.

- Niestety, większość rzeczy może mnie uczyć tylko tam i to w podziemiach.

- Och, u nas też się znajdą jakieś lochy.

Elvi zaczynała odczuwać niepokój i rozdrażnienie spowodowane tak ogromnym niezrozumieniem jakie prezentował Fort. Nie umiała z nim rozmawiać, więc zrezygnowała z dalszych tłumaczeń, tylko kontynuowała czytanie reszty księgi.

Nawet nie zauważyła, że trzy dni minęły bardzo szybko. Zmierzchało, kiedy kończyła czytać swoją księgę. Właśnie wtedy poczuła nagły niepokój. Dana zbliżała się tym razem z kolacją. Elvi patrzyła na nią z przerażeniem w oczach. Wydawało jej się, że Dana nie idzie sama. Była jakaś inna. Elvi potrząsnęła głową. To chyba jednak tylko przewidzenie. Tak, teraz widzi przecież wyraźnie, że Dana, dobra, kochana dziewczyna idzie z kolacją.

- Co ci jest? - zapytała Dana. - Dziwnie wyglądasz. Jakbyś ducha zobaczyła - Dana zaśmiała się, po czym podniosła głos. - Ty znowu jesteś chora, dziwnie zachowujesz się, przestań! Zrób z tym coś! Myślisz tylko o sobie, nawet nie przyszłaś do mnie przez cały dzień! A ja czekałam, na ciebie! Jak możesz mnie tak ranić? Myślisz tylko o sobie! Jestem na ciebie zła! - krzyczała Dana.

Elvi zdziwiona wpatrywała się w nią i teraz powoli zaczynała odróżniać kontury, zarysy postaci ledwo widocznej spoza sylwetki Dany. Ona nie miała pojęcia co się dzieje, a Elvi nie mogła jej tego wytłumaczyć. Za późno, albo w ogóle nigdy nie będzie mogła, bo Dana nie zobaczy i nie zrozumie.

- To nie tak Dana - zaczęła, próbując chociaż trochę porozmawiać.

- Poczekaj, trochę się uspokój i pogadamy.

- Ja nie chcę z tobą gadać. Nie zwalaj na mnie winy, że to ja coś źle zrobiłam. To ty!

- Tak nie można, porozmawiamy jak obie będziemy umiały - Elvi całkiem już zdenerwowana pobiegła z książką w ręku do Forta.

- Muszę wracać, natychmiast!

- Teraz już za późno na takie wędrówki. Zobacz, już prawie ciemno.
- Nie rozumiesz. To wróciło. Nie dam rady się obronić. Potrzebuję pomocy.
- Wyruszymy jutro z rana.
- Powinniśmy dzisiaj - nalegała.
- To jest niebezpieczne, zobacz jest ciemno, dla koni to też niedobrze.

Elvi nie wiedziała co powiedzieć, miała łzy w oczach. Łzy paniki i rozpaczy z powodu zapowiedzi bólu, cierpienia, zmęczenia i ataku jaki niewątpliwie nastąpi, spływały jej po policzkach.

Pobiegła do swojego pokoju na górę. A tam siedział on, przyczyna jej dolegliwości.

- Chciałaś mi umknąć, co? To teraz inaczej się tobą zajmę - usłyszała groźbę. - Nie wywiniesz mi się. Nie ma odwrotu, polegniesz i tak. Nie uda ci się.

Elvi nie odpowiadała, wybiegła i jeszcze raz odnalazła Forta.

- Fort, proszę teraz, natychmiast, musimy jechać.
- Hej, skąd ten pośpiech, ćwicz cierpliwość, do jutra rana nie daleko. Ruszymy ze wschodem słońca.
- Nie rozumiesz... ja...
- Rozumiem, ale ty myślisz tylko o sobie, o tym co ty musisz i to natychmiast - oblicze Forta nagle zrobiło się groźniejsze.
- Fort, proszę, nie - zdążyła powiedzieć Elvi i się rozpłakała na dobre. Fort jakby się ocknął z jakiegoś niemiłego stanu i znów pogodny jak zawsze położył swoje dłonie na jej ramionach.
- Już dobrze, dobrze. Ja wiem, że to ważne, ale dojedziemy cali i zdrowi jutro. Dziś możemy utknąć w lesie. Zaufaj mi.
- Ja tej nocy nie mogę zostać sama - Elvi łkała w panice.
- A, to już zupełnie inna sprawa - Fort nie widział zagrożenia, odczuwał tylko przyjemne podniecenie przygodą i tajemniczością w zachowaniu Elvi.

- Ja cię obronię - powiedział kompletnie nieświadom z czym lub kim miałby się mierzyć.

- Chciałabym, żebyś potrafił - Elvi wyznała szczerze.

- Oczywiście, że potrafię - pochwalił się, a ona przez chwilę starała się w to wierzyć, chociaż wiedziała, że to mało pomoże.

&&&

Tej nocy dla przyzwoitości dostawiono drugie łóżko w pokoju Elvi. Wkrótce Fort usnął snem prawie kamiennym, a Elvi nadsłuchiwała. Ciche chrapanie Forta było jedynym dźwiękiem w powietrzu i wcale jej nie przeszkadzało.

- No i co? - usłyszała nagle ten głos. - Przecież on nie będzie zawsze przy tobie, jak tylko zostaniesz sama, to upadniesz. Już się postaram, za słaba jesteś. Nie poradzisz sobie sama. Zobacz, o wiele łatwiej jest się temu poddać. Zawsze to mniej sił stracisz, a walka wiele ich zużywa. Zwłaszcza nieskuteczna walka. To i tak nie ma sensu, te twoje nauki i obrona. Nie będziesz wiecznie pod ochroną. Zobaczysz. Jestem blisko, a ochrona słabnie. Nie ma sensu się bronić. Możesz też dać mi to, co chcę teraz. Sama z własnej woli. Po co się męczyć. Na jakiś czas mi starczy i sobie pójdę - przekonywał gdzieś w ciemnościach.

&&&

Nazajutrz zmęczoną Elvi Fort musiał niemal wsadzać na konia. Nieprzespana noc robi swoje. Elvi nie wyglądała najgorzej, jednak teraz była pełna przerażenia i napięcia.

- Oj, jakaś ty jesteś spięta, przecież nic się nie stało. Zrelaksuj się.

Elvi nawet się nie uśmiechnęła. Ledwo wykrztusiła słowa podziękowania.

Jechali szybko, prawie nie rozmawiali. Późnym popołudniem zsiedli z koni, a Elvi upadła na ziemię i rozdzierająco zaczęła szlochać.

- Ja już nie mogę, nie mogę dalej jechać. Boli mnie wszystko, nie dam rady. My nie zdążymy. Ja nie zdążę - Fort podszedł do niej, uklęknął obok i mocno przytulił.

- Popłacz sobie, popłacz, to tylko napięcie, najwyższa pora, niech sobie pójdzie. Wszędzie zdążymy, a ze mną na pewno. Ja wszystko zrobię, żebyś ty się czuła dobrze.

- Ja jestem za słaba - rozczulała się Elvi. - Ja nie mam takiej mocy, by to powstrzymać.

- No, no, tego nie wiem, ale ja tu jestem, żeby ci pomóc i cię wspierać. Już niedaleko.

- Musimy gdzieś przenocować.

- Tym razem już w zamku, nie jest tak późno, a my się spieszymy. Pewnie nie wytrzymałaś tego tempa. Zmęczyłem nie tylko konie, ale i ciebie. Trochę odpoczynku i w drogę.

Ciemność zaskoczyła ich na ostatnim odcinku drogi do zamku. Elvi płakała ze strachu i starała się dotrzymać kroku Fortowi, a raczej jego koniowi. Zwolnili. Nie chcieli, by koń się o coś potknął.

Brama była otwarta, a w niej czekał sam Agaton.

- Widziałem, że przybywacie, szybko - ponaglał, lecz oni oboje już nie mieli siły.

- To dopiero wyczerpująca przejażdżka - Agaton się uśmiechał i wcale nie zamierzał rozczulać nad jeźdźcami. - Końmi zajmą się w stajniach, a ja tu wami z moją szanowną małżonką.

- Goście w dom, Bóg w dom - gospodyni przywitała ich serdecznie. Ten chłopiec coś niemrawy dzisiaj, wskazała na Forta. - No to będzie mniej naleweczki.

- A ty ze mną - Agaton zajął się Elvi. - Tak myślałem, że znajdzie sposób, by zaatakować inaczej. Ano przez osoby postronne też można. Już się dowiedziałaś. Traktuj to jako część lekcji. Nie ma to, jak doświadczyć coś na własnej skórze. Nic cię tak dobrze nie nauczy - ciepły uśmiech Agatona przywracał Elvi poczucie bezpieczeństwa. Nastąpiła szybka diagnoza jej stanu.

&&&

Elvi robiła postępy. Nabierała wprawy. Już kilka miesięcy nie widziała Forta, który musiał dbać o gospodę i interesy. Ale pisał do niej długie listy. Uznała to za dość niezwykłe jak na mężczyznę. Elvi się zmieniała. I bynajmniej nie o wygląd tu chodziło. Jakby nic nie zostało z dawnej, zalęknionej i niepewnej dziewczyny. Stąpała odważnie i z podniesioną głową niczym królowa. Lekki półuśmiech nadawał jej tajemniczości. To nie tylko kobiecość z niej emanowała.

Stała w lochach w totalnej ciemności, tylko głos Agatona z oddali przywoływał ją do rzeczywistości i przypominał gdzie jest.

- Elvi jeszcze raz, jesteś nadal za słaba.

- Słaba nie słaba, ale sobie radzę i to całkiem przednio - odpowiedziała mu dziarsko i wyszła z bezpiecznego kręgu. Uderzenie było silne i zgięła się w pół, ale szybko wróciła do równowagi i odparła cios. Kroczyła wolno obok okręgu i była bardzo skupiona. Cichy szelest zdradził, że nastąpi kolejny atak psychiczny. Poczuła znajome wrażenie słabnięcia i utraty woli, zakręciło jej się w głowie. Szybko zmieniła pozycję i pozostawała w ruchu. Wiedziała, że tego długo nie wytrzyma, ale im dłużej da radę, tym będzie silniejsza. Jeszcze chwilę, wytrzyma, postanowiła. Twardo upadła na posadzkę.

- Głupia dziewczyna, optymistka się znalazła - powiedział Agaton, machnął ręką i pochodnie zapłonęły.

- Przepraszam, chyba przesadziłam - cicho powiedziała Elvi ocknąwszy się. Po chwili jednak wrócił jej dobry humor. - Szybko się regeneruję.

- Na dzisiaj koniec - zarządził Agaton - Idź, odpocznij, a potem chcę z tobą porozmawiać.

Rozpromieniona Elvi przyszła do kuchni, gdzie czekał już Agaton i Leonta.

- Elvi ja cię szkolę na kobietę wiedzy, a nie desperatkę.

- Spoko dziadku, gdzie mam próbować jak nie w bezpiecznych warunkach? - wdzięcznie się uśmiechnęła. Pokochała tych dwoje i czuła się tu jak w rodzinie.

&&&

Tu było tak bezpiecznie. Elvi na nowo odkrywała w sobie tendencje ku przygodzie. Odkryła coś jeszcze. Była kobietą i to ładną kobietą. Wielu mężczyzn z pobliskiego miasteczka dało jej to odczuć. A ona sama czuła się dumna móc pomagać Leoncie przy wizytach domowych. Miała coraz więcej osobistych sukcesów.

Została ponownie wezwana do wioski, by uratować niedoszłego samobójcę, który wcale nie chciał skakać z dachu, ale nogawka spodni tak mu się jakoś podwinęła, że potknął się i zsunął. Zawisł na szczęście na rozdartym materiale spodni, a obrywające się części rynny zneutralizowały upadek. - Tylko jedno złamanie - Elvi obejrzała obrażenia i kilka siniaków.

- Chciałem, żeby to było romantyczne, a wyszedłem na idiotę - zapłakał chłopak.

- Jak spróbujesz jeszcze raz, to przestanę cię leczyć - zagroziła Elvi. - Są inne sposoby na zyskanie miłości kobiety.

- Są? A jakie?

- O tym porozmawiamy potem, do zobaczenia jutro, dobranoc.

Elvi tylko trochę przestraszyła się zmierzchu, a droga do zamku trwała dłużej niż myślała. Wsiadła na konia, pożegnawszy rodziców chłopca. Dopiero za zakrętem ruszyła galopem. Gdyby ktoś ją pytał, udawałaby, że się nie boi. Nie spotkała już swojego wroga od wielu miesięcy. I wcale za nim nie tęskniła.

Dotarła do zamku zdziwiona nieco, że nikt, żaden napastnik nie pojawił się po drodze. Uczucie ulgi pojawiło się w niej gdzieś w okolicach serca. Nieco odważniej przemierzyła ciemne podwórze i dotarła do izby, gdzie przy kolacji siedzieli gospodarze.

IRENKA 2 ~ Rozmowy Skype'owe

S tudia międzynarodowe i kolejne wykłady, ciągnęły się niczym kluski w zupie, niemożliwe do pochłonięcia i jakby niekończące się koszmarne spaghetti. Irenka siedziała znowu na wykładzie, podpierając głowę ręką. Nic ciekawego się nie działo, nikt nie powiedział niczego ekscytującego do tej pory, aż do teraz.

- Kto jest zainteresowany kryminalnym prawem międzynarodowym? - zapytała wykładowczyni, a Irenka wyraźnie się ożywiła i podniosła rękę do góry. Reszta sali ucichła jak makiem zasiał wpatrzona w Irenkę, która pół minuty temu była o krok od drzemki. Teraz wpatrywała się w profesorkę z nadzieją. Poza Irenką nie było chętnych. Czyżby minęła się z powołaniem. Była na specjalizacji prawo międzynarodowe, ale szczególnie morskie, a teraz tak nagle zainteresowała się kryminalnym?

- Przyjdź do mnie po wykładzie. Tutaj masz moją wizytówkę. Dam ci potrzebne rekomendacje.

Irenka wróciła do domu całkiem zadowolona, zasiadła do Skype'a z nadzieją, że zastanie Kunegundę. Rozmawiały coraz rzadziej i rzadziej, obie zajęte i teraz już lata mieszkające w innych krajach. Typowe czatowe konwersacje zaczynały się od:

- Jesteś?

- Jestem - potem rozlegał się znajomy dźwięk Skype'a. Stary dobry poczciwy Skype. Mogły nie tylko rozmawiać, ale się widzieć.

- O, byłaś u fryzjera! Fajnie, kolor sobie zmieniłaś i masz różne pasma. A ja też byłam - całkiem ożywiona Irenka rozpuściła swe długie włosy by pokazać jak ostatnio również dodała sobie nieco koloru.

Chwilę trwało zanim popodziwiały swoje fryzury i podzieliły się wszystkim co akurat przyszło im na myśl, by streścić czasem miesiące zdarzeń w kilku słowach.

- Potrzebuję teraz listy rekomendacyjne. Dostałam jeden. Mam nadzieję, że jest pozytywny, bo go jeszcze nie czytałam - powiedziała Irenka i mówiła dalej, a Kunegunda starała się ją słuchać i jednocześnie czytać list rekomendacyjny po angielsku. - A opowiadałam ci jak moot court trzeba było zrobić? Zostaliśmy podzieleni na grupy. Wylądowałam z Chińczykiem, Polką, Bułgarką i Jugosłowianką. Bułgarka olewała sprawę, chodziła na imprezy. Myśmy się kłóciły z Jugosłowianką i Bułgarką, a Chińczyk nic nie rozumiał. Nie mogliśmy się dogadać. Sprawa wylądowała w dziekanacie. W sumie to ja napisałam, by omówić strategię, ale Jugosłowianka doniosła na wszystkich oprócz mnie. A ta Polka nadawała na Bułgarkę by ją wywalić. Chińczyk znów nas uspakajał, nadal nic nie rozumiejąc. Wszystkie grupy dobrze się bawiły i się dogadali, a myśmy się mało nie pozabijali. No i za karę Bułgarka musiała prezentować, ten moot court, chociaż Chińczyk zaproponował, by on to zrobił. Dziewczyny mówiły mu, że jego angielski jest za słaby, a on na to, że jest lwem pośród owiec. No sama powiedz, ręce opadają. Jak ja mam przejść przez te studia? - dokończyła z wyrzutem.

Kunegunda roześmiała się, nadal dzieląc uwagę między Irenką i listem.

- Bardzo pozytywny. Podoba mi się.

- Jeszcze jeden muszę mieć.

- Mam pomysł. Od prawnika oczywiście. Poczekaj, napiszę szybko - Kunegunda miała znajomych na całym świecie. Właśnie wysłała prośbę, przedstawiając krótko Irenkę i o co chodzi. - Co tam jeszcze w trawie ostatnio piszczy?

- Nic takiego. Moja mama zmieniła faceta. Z Arabem była, ale on jej nie pomagał finansowo. Wkurzyła się i znalazła Polaka. No i teraz tamten chce ją z powrotem. Arab na weekendy przyjeżdża i wozi nas na zakupy, a Polak dojeżdża w tygodniu. Tłumaczy mu, że już jej przeszło, ale Arab nadal ją wozi. Szkoda mi go, ale mógł pomagać finansowo wcześniej, a nie teraz się obudził. A Polak ledwo mamę poznał i od razu nam kino domowe kupił. Telewizor plazmowy i głośniki mamy teraz, zobacz... - odwróciła się i zwróciła kamerę w kierunku głośników.

- No, no! Całkiem dobrze to wygląda - pochwaliła Kunegunda.

Do pokoju weszła właśnie mama Irenki, podeszła się przywitać i powiedziała:

- Ja idę spać, to nie będę słuchała - Kunegunda zobaczyła machającą mamę, która szybko położyła się na kanapie i można by przysiąść, że natychmiast zasnęła.

- Nie martw się mama nie słyszy co mówisz, tylko słyszy co ja mówię - Irenka uznała to za sytuację normalną, a Kunegunda trochę szaleńczo się zaśmiała, nie wiedząc jak zareagować.

- Poczekaj chwilę - Irenka na chwilę podeszła do mamy. - Mamo, chcesz herbaty? - Mama nie reagowała, więc Irenka wróciła do Kunegundy, do kamery. - No, śpi. To ci powiem, że pokłóciłam się z jej facetem, bo sprzeczał się ze mną, że więcej wie na temat prawa. No, to kto tu studiuje, ja czy on, mądrzy mi się.

- Podejrzany typ - przyznała Kunegunda.

&&&

Irenka została przydzielona do pomagania z okazji wyborów. Grzecznie rozdawała długopisy, kiedy obok wywiązała się dyskusja z kolegą.

- Ale ten facet manipule ludźmi - powiedział kolega. - Oni wiedzą jak nastawiać negatywnie ludzi na cudzoziemców w Holandii.

- Prawda - Irenka grzecznie potwierdziła i dodała: - Marokańczycy w sumie sami są sobie winni, bo oni się tu w ogóle nie integrują. Swoje prawa w stosunku do kobiet stosują, nie szanują ich. I tu robią to samo.

- Z kolei Muzułmanki same bronią swojej religii i tych chust. One myślą, że to je chroni przed gwałtem i napadem. E tam, ja tam wolę parasolkę - kolega dokończył i po prostu się oddalił. Irenka już się przyzwyczaiła do toku studiów, różnorodności ludzkich poglądów, więc konwersacja jej nie dziwiła, zarówno jakość, jak i nagłe jej zerwanie.

&&&

- Co tam słychać? - Kunegunda zapytała Irenki.

- Mój eks zmarł - powiedziała smutno. - Jeszcze niedawno głosował na partię w Holandii... Pocieszny był. Jak zagłosował, to się zorientował, że tego samego dnia jest referendum na Ukrainie i dodał do zebranych tam ludzi: no to teraz lecę na referendum - uśmiechnęła się równie smutno.

- Ojej, a jak to się stało?

- Ja nawet nie płakałam, nie jestem w stanie. Po prostu depresję mam. W szpitalu byłam kilka razy u niego. Na zapaść poszedł do szpitala. Boże, czego on nie miał. Wątroba mu wysiadła, trzustka, jelito, przełyk, nerki, pęcherz moczowy, brzuch, nogi miał opuchnięte, podłączony był do tlenu. Miał odleżyny na plecach, a jeszcze mnie pytał jak tam byłam, czy mi czegoś nie trzeba. Jedzenie to mu dawali dożylnie razem z antybiotykami i morfiną.

- O Jezu - Kunegunda jęknęła.

- No wiesz, Holendrzy nie leczą Polaków. Nie dość, że Polak, to jeszcze palił i pił. Żadnego palacza zresztą nie leczą. Tą operacją go pewnie załatwili. Bo był w szpitalu najpierw trzy miesiące i jak go wymęczyli, to trzeba być debilem stukniętym, dopiero wtedy mu zrobili operację! I jeszcze powiedzieli, że operacja się udała, tylko pacjent nie przeżył.

- Makabra. To wygląda na jakąś teorię spiskową, najpewniej morderstwo!

- Nie wiadomo, kuzynka fałszywa, może się dogadała z lekarzami. Ja nie wiem. A ta córka tak płakała, taka załamana. Jakbym miała jeszcze jakieś egzaminy, to bym już nie dała rady. W Święta nie poszłam do niego, bo myślałam, że rodzina będzie, ale nie było. I tak samo w Nowy Rok!

- Ojej - Kunegunda nie bardzo miała co powiedzieć, więc tylko słuchała.

- Ale wiesz, ja wierzę, że wszyscy jesteśmy energią i może jego dusza wróciła do źródła.

- No tak, teraz to już trzeba jakoś to sobie poukładać w głowie. W sumie może nikt nie będzie o nim pamiętał, ale widać, że ty go naprawdę kochałaś. Irenka będzie o nim pamiętać.

- Wiesz, on mi tyle rzeczy dał: łańcuszki, tablet, sprzęt do karaoke, głośniki, kamerę, aparat fotograficzny i ja wszystko pogubiłam. Nic z tego z ostatnich lat nie mam!

- To szukaj!

- Już kilka dni z mamą szukamy.

- Tak sobie pomyślałam, może wysyłaj mu światło? Kiedyś czytałam o takich praktykach. Jedni się modlą, inni podchodzą do sprawy inaczej.

- A to ja raczej jego prosiłam o światło.

- O! - zdziwiła się Kunegunda. - To chyba umarły bardziej potrzebuje, ale nie wiadomo. A śnił ci się?

- Tak, że z moim bratem jechał autobusem, a mój brat też nie żyje.

- A, to dobry znak, znaczy się dusza przemieszcza się ku lepszemu. Może jeszcze ci się przyśni.

- Ale w tym śnie to oni nie chcieli mnie ze sobą zabrać.

- Jakby tak się zastanowić nad interpretacją, to ten sen można odczytać jako dobry znak. Patrz, dusza przeszła od razu gdzieś. Czasem, jak mi inni mówili, śnili straszne koszmary, że umarły gdzieś się zgubił, męczył się, duchy go atakowały i takie tam.

- Faktycznie, nie pomyślałam o tym, masz rację. O, fajny masz makijaż - Irenka nagle zmieniła temat.

- A, dzięki.

- A ja też ci się pochwalę. Patrz trzy dziurki w uszach mam w jednej cenie. Kosmetyczka mi mówiła, że za jedną dziurę się płaci tyle samo, co za dwie, to dwie dorobiłam, a jedną już miałam.

- O, a bolało?

- Nie, ale teraz boli. To jeszcze ci powiem, że zdałam wszystkie egzaminy, jeszcze tylko praca magisterska.

- O, brawo!

- Ale wiesz, to był egzamin online, więc się umówiłam z koleżanką w razie czego, ale inna Holenderka na nas doniosła.

- No i co?

- A nic, nauczycielka powiedziała nam, że możemy tylko żebyśmy używały innych słów. Poczekaj chwilę, mama z psem idzie.

Mama Irenki zeszła właśnie ze schodów i pomachała do kamery.

- Pani to młodnieje! - powiedziała do Kunegundy.

- Dziękuję i wzajemnie. Wygląda pani tak samo, jak ostatnim razem kiedy się spotkałyśmy, bez zmian.

Po tych wymianach grzeczności mama wyszła z psem, a dziewczyny mogły przejść na nieco głębsze tematy rozmów.

- Wiesz co - Irenka przybliżyła się do kamery, jakby chciała powiedzieć coś w sekrecie, ale nikogo w domu już i tak nie było. - Brałam ostatnio udział w medytacji światowej jakiegoś miesięcznika. Ojej, takie rzeczy widziałam, niesamowite, jakby całą Ziemię, wulkany, wszystko.

- Znaczy się miałaś doświadczenie duchowe.

- Ale jakie realne.

- To się zdarza. Trudno to opisać, bo dla każdego brzmi banalnie, ale wiem o co ci chodzi.

W kolejnych minutach dziewczyny przeszły na nieco bardziej intymne zwierzenia, a Kunegunda miała też szansę zaprezentować co nauczyła się na kolejnych warsztatach coachingowych bardzo terapeutycznych zresztą. Prowadziła właśnie Irenkę przez cały proces, gdy ta krzyknęła:

- Tak, to jest to! No, niesamowite, to mi pomaga i to jak szybko!

- To spróbujemy jeszcze tego. Zamienimy się rolami... - zamiana poszła tak dobrze, że Irenka jak w transie zaczęła mówić o rezultatach, o których jeszcze Kunegunda jej nawet nie powiedziała.

- Dobrze ci to idzie. Masz niesamowitą intuicję. Dokładnie tak mi wyszło na tych warsztatach! Powinnaś tę intuicję dalej rozwijać! Bo się zmarnuje.

- Ach, nie mam tyle dyscypliny. No i czasu. Teraz już tylko praca magisterska, ale przecież jeszcze praktyki! Może po tym wszystkim się uda. Jakoś częściej się umawiajmy. - Już nie raz postanawiały rozmawiać częściej, w praktyce jednak różnie to wychodziło.

&&&

Tym razem znów miały szczęście, obie były na Skype.

- Jak tam praca magisterska?

- A wiesz, że jakoś płynie. Jakby sama się pisała.

- I tak to powinno być! Jak się samo nie pisze, to bardzo ciężko coś stworzyć - Kunegunda dodała swoją filozofię. - Bez inspiracji nie ma kołaczy.

- To chyba bez pracy.

- A tam, praca to zawsze praca, ale wymuszona to praca wisielcza, samobójcza wręcz.

- A jak tam twoje zdrowie? Coś ostatnio ci dolegało?

- Było, było. Sprawdzili wszystko i jestem zdrowa, wręcz po chamsku zdrowa. Nic nie mogą znaleźć. Znaczy się symptomy mam czysto psychiczne. To już lepiej, z tym da radę.

- Możesz zawsze brać tabletki, jak ja.

- No właśnie, zawsze można coś połknąć. Jest zawsze jakaś alternatywa.

- To dobrze. A ja będę miała praktyki. Przyjęli mnie tam, gdzie chciałam w tym Court...

- Oj, znów gratulacje ogromne.

- I do tego kogoś poznałam. Gość taki starszy, ale dojrzały się wydaje. Nie to, żebym ja była zainteresowana, ale może w pracy będzie ciekawiej. Dobrze się z nim gada.

- Tak, komunikacja to podstawa.

- Jak mi te praktyki dobrze pójdą, to może tam pracę dostanę. Oby mi się spodobało tylko, wiesz...

- Wiem, wiem... na razie nic nie musisz postanawiać. Praktyki to taki zwiad. Jak się nie spodoba, to wypad.

- No tak, dobre podejście.

Irenka wyglądała ślicznie i już niejednokrotnie Kunegunda zastanawiała się po co ona bierze te tabletki, to jakaś ściema. Dziewczynie musieli wmówić tę depresję, bo w innym razie jakby przeszła przez podwójne studia prawnicze, utalentowana do tego, pomaga innych studentom, coś tu się nie zgadza. Kto by dał radę temu wszystkiemu z depresją?

- Jak skończę te studia, to spróbuję odstawić leki - Irenka jakby czytała w jej myślach. - Ale teraz to strach, przyzwyczaiłam się. A co jak jestem uzależniona? Podobno to uzależnia. To lepiej nie. Przynajmniej nie teraz.

- Całkiem zrozumiałe.

- A ty, jak?

- Trochę mnie nie będzie. Wylatuję za wodę na nowe szkolenia. Przyznali mi stypendium, to lecę! Ale wrócę, poza tym nie ma to jak Skype, więc tylko obie na tym zyskamy. Jak się coś nauczę to sobie poćwiczymy. Ty akurat będziesz wtedy już po praktykach.

- Dobrze sobie wykombinowałyśmy to życie. Nie jest źle, a może być lepiej. Och, byłabym zapomniała! Będę się wyprowadzać od mamy! Zaraz po praktykach, gdy dostanę pracę to od razu... tylko musi mi się spodobać.

- Musi. Wiem po sobie. Ale dobre założenie. Mamy opcje, a to najważniejsze.

&&&

Konwersacje ze Śmiercią

C iemny pokój oświetlała tylko jedna świeca, dająca mały cień. Zegar wybił północ. Było spokojnie. Zbyt spokojnie. Nie mogąc się ruszyć, siedząca w łóżku kobieta patrzyła na płomień i zastanawiała się: *Czy umrę?* Uczucie bólu i wymioty doprowadziły ją do paniki. Jej serce waliło niebezpiecznie szybko i mocno, wyczuwając obecność i nie mogąc jej zobaczyć.

A potem ujrzała kontur, który powoli zmieniał się w zakapturzoną osobę w długiej, ciemnej szacie. Po prostu stała tam, w innym, po przekątnej od niej, kącie pokoju. Zamrugała, sprawdzając, czy ma halucynacje. *W tych odcieniach nie ma nic złego.* Kazała sobie uspokoić się. *Nie tylko jestem chora, ale mam też niechcianego gościa.* Światło świecy miało odstraszyć każdego nocnego intruza, ale tym razem najwyraźniej nie zadziałało.

- W końcu tak się stanie - usłyszała głos w swojej głowie, męski głos, który nie brzmiał jak jej własny.

- Co? - poruszyła się trochę i ponownie zamrugała oczami. - Ty mówisz?

- Tak.

- Kim jesteś? W imię...

- Tak, tak... Jezusa Chrystusa czy czegokolwiek innego. Porzuć te ezoteryczne nauki. Nie pamiętasz? - jego głos był głęboki i spokojny.

- Pochodzisz...?

- Naprawdę zadasz to pytanie? Oczywiście nie pochodzę ze światła. Czy wyglądam jak światło?
- Więc nie podchodź!
- Nie podchodź? Nie pamiętasz?
- Pamiętasz co? - teraz miała wrażenie, że nie tylko ma halucynacje, ale też cierpi na jakąś amnezję.
- Wołałaś mnie.
- Na pewno nie!
- Klasyczne wyparcie.
- Przepraszam?
- Zaprzeczasz.
- Nie wyglądasz na psychologa. Czy powiedziałbyś kim jesteś? Wyglądasz jak... śmierć?
- Bingo! Rzeczywiście, niektórzy tak mnie nazywają.
- Ale nie masz kosy.
- No dalej, sama nie jesteś tradycjonalistką, więc dlaczego wymagasz ode mnie takiego rekwizytu. Ludzie tego oczekują, ale nie jest to mój wybór.
- Więc nie jesteś tym przerażającym szkieletem w czerni zabijającym ludzi?
- Dziękuję.

Prawie było jej przykro, że to powiedziała i być może zraniła jego uczucia, bardzo ludzkie.

- Czy możesz zdjąć kaptur?

Cisza czyniła go bardziej ciekawym, ale po prostu czekała.

- Hmmm... - powoli odpowiedział na jej prośbę, odsłaniając swoją twarz i długie ciemne włosy.
- Wow! - *Jest wspaniały*, pomyślała. - Wyglądasz jak... jak anioł! - jej obawy zostały zamienione na oczywiste podniecenie, którego nie mogła ukryć.
- Anioł Śmierci. To jest inna nazwa... której ludzie używają.
- Czy to nie jest lepsze niż szkielet?

- To po prostu kolejna forma etykietowania kogoś. Ludzie oznaczają nie tylko ludzi, wszystko musi być nazwane, sklasyfikowane, umieszczone w odpowiedniej szufladzie, ale brakuje im szerszego obrazu.

Urzeczona jego głębokimi, węglowymi, ale błyszczącymi oczami i długimi włosami zwisającymi jak aksamitne liny, zapytała: - Przepraszam, co powiedziałeś? - najwyraźniej skupiała się na jego urodzie.

- Nieważne - westchnął.

- Nie jesteś tak ciemny ani czarny, to w rzeczywistości aksamitna ciemność - powiedziała z podziwem.

- Więc teraz mnie lubisz? Skąd wiesz, że nie jestem demonem?

- Nie jesteś. Zaufaj mi, w mojej przeszłości było ich kilka, czuło się je inaczej.

- Ale nadal się bałaś.

- Naprawdę śmiertelnie mnie przestraszyłeś! Och! Przykro mi - dopiero zauważyła, że słowo: „śmiertelnie" nie podziałało na niego najlepiej. - Wiesz, pojawiłeś się tutaj znikąd.

- Nie zapominaj, że możesz mieć halucynacje.

- W takim razie nie mam się czym martwić. Każda iluzja kiedyś się kończy. Może lepiej mieć nieograniczoną wyobraźnię, niż spotkać śmierć i umrzeć.

- Dzięki jeszcze raz. Wracając do sedna, czego chcesz?

- Nic! Nic od ciebie! Jestem pewna, że teraz nie możesz mi nic zaoferować.

- Dlaczego zatem mnie zawołałaś?

- Nie wołałam cię.

- Słuchaj, to nie ja słyszę głosy, których nie ma!

- Och, zazdroszczę ci tego! Cały czas słyszę głosy. W przeciwnym razie nie moglibyśmy przeprowadzić tej rozmowy. Ale skoro tu jesteś, czy możesz mi powiedzieć coś więcej o śmierci?

- Co dokładnie?

- Cóż... - co chciała wiedzieć? *Oczywiście wszystko! Jak to wygląda? Dlaczego to robi? Czy może przestać? Co by się wtedy stało? Czy on jedyny czy Szef, czy są inni? Co następne?*
- Słyszę cię, zwolnij!
- Nic nie powiedziałam.
- Twoje myśli są jak wodospad śledztwa. W zasadzie jest więcej takich jak ja. Mamy pewną liczbę osób, na których nam zależy. Po skończeniu pracy możemy ruszyć dalej lub zostać. To zależy.
- Od czego?
- Od nas, to nasza decyzja, co decydujemy się zrobić.
- Zatem ilu ludzi musisz... zabić?
- Nie powiedziałbym, że zabijam. Pomagam w przejściu.
- To skąd ten symbol cięcia życia?
- Istnieje subtelna linia, którą wycinam, aby pomóc. To ma pomóc!
- Tak, seryjni mordercy mówią to samo.
- Zrozum, że kiedy dusza cierpi w ciele, które już nie służy, musi zostać uwolniona. Robię to. Uwalniam światło, duszę, aby mogła kontynuować podróż.
- Nadal brzmisz dla mnie jak seryjny morderca - nie była przekonana.
- To naprawdę bardzo ważny, święty, głęboki i intymny moment. Nie wiesz, co to znaczy mieć przed sobą człowieka cierpiącego, patrzącego ci prosto w oczy w poszukiwaniu ulgi.
- Wiem, ale od razu przejść do zabijania?
- Przychodzę w ostatniej chwili, nic więcej nie można zrobić, musisz mi w tej kwestii zaufać.
- A pewnie... Powiedz mi więc, ilu ludzi... cóż, opiekujesz się w ten szczególny sposób?
- Jesteś ostatnia.
- Święty pierdolony, Jezu Chryste! Zatem jesteś tu, żeby mnie zabić! - była zdruzgotana i przerażona. Miała całą tę dobrą rozmowę, a teraz nadeszła jej kolej. Nie była gotowa, tak bardzo nie była gotowa, ale

nie podda się bez walki. Skopie mu tyłek do ostatniego tchu. Ostatni oddech wcale nie był przekonujący. Co wtedy zrobić? Prawda została ujawniona. Zamierzał ją zabić! *Święta Maryjo* lub ktokolwiek tam był, próbowała się modlić, ale nie mogła skoncentrować się na jednej myśli.

- Przestań! Nie mogę podążać za twoimi chaotycznymi myślami. Nikt cię nie zabije. Nie wiedziałem, że zwariujesz. Mam na myśli to, że jeśli mnie wołałaś, to spodziewam się, że powinnaś przynajmniej wiedzieć, co robisz.

- Ale powiedziałeś, że jestem ostatnia, a ty jesteś śmiercią i robisz to, więc... Czy mogę tego jakoś uniknąć? - posiadanie pomysłu skłoniło ją do zebrania większej ilości danych, większej ilości informacji.

- Kiedy będziesz gotowa do przejścia, dowiesz się i zawołasz mnie.

- Nie zawołam, nie wołałam i nigdy nie zawołam!

- Super, więc chyba mogę już iść.

- Czekaj! Po prostu powiedz mi trochę więcej. Jak to robisz? Jak przecinasz tę linię?

- W samym momencie czyjegoś odejścia jest to niewidzialne, cienkie i przezroczyste ogniwo przyklejone do człowieka. Jeśli nie zostanie odcięte, ktoś może trzymać się między życiem a śmiercią, ale nie do końca będąc żywym, nie może też odejść, chociaż życie zostało wyczerpane.

- Mówisz o śpiączce?

- Można to tak nazwać, aby lepiej zrozumieć. Ciało może umrzeć, przestać funkcjonować, ale nadal jest połączone z duszą. Nieodcięta więź sprawia, że dusza jest połączona z martwym ciałem i nie może odejść.

- Masz na myśli ducha?

- Tak. Ciągle cierpi, to może być naprawdę bolesne i powtarza się cyklicznie.

- Jak to?

- Nie wiem, bo nigdy na to nie pozwoliłem. Mam litość. Widziałem tylko kilka przypadków. Kiedy duch, który przeżywa na nowo całe

życie na Ziemi nie może nic zmienić, ponieważ wszystko już się wydarzyło. Ktoś musi wtedy pomóc duszy.
- To co się robi z takimi duszami?
- Dusza, która nie przechodzi, zaczyna cierpieć na jakąś demencję. Coraz trudniej przykuć jej uwagę. I musisz przekonać taką duszę do współpracy z tobą. Nie można jej po prostu ciąć na chybił trafił.
- Czyli masz na myśli, że jeśli się nie zgodzę, nie możesz mnie zabić?
- Cóż, dusza...
- Jestem duszą.
- Oczywiście, ale masz trochę... powiedzmy dodatków.
- Tak? jakich?
- Porcje, cząstki przechowywane w tobie.
- Podświadomość?
- Częściowo również twój świadomy umysł, ale nie do końca świadomy, to coś co się boi.
- Nazywamy to ego.
- O właśnie. Ego. Chodzi o to, że pragnienie duszy zawsze wygrywa. Ego może przejąć kontrolę na chwilę, ale dusza nie pozwoli ci zbyt długo marnować czasu i celu.
- Czego więc chce moja dusza? Jak mogę się tego dowiedzieć?
- Najpierw przestajesz panikować i słuchasz duszy. To ta większa część ciebie, najsilniejszy głos.
- Jasne, może to panika jest silniejsza?
- Panika w niczym nie przypomina duszy. Dusza jest spokojna. Panika może ogarnąć cię tylko dlatego, że myślisz, że to jest silniejsze. Ja też jestem duchem i nic mi nie przesłania klarowności. Wszystko inne, to bałagan w twojej percepcji.
- Czym naprawdę są te porcje, czy tam cząstki?
- Różne rodzaje lęków.
- Tak jak? - zapytała o to cicho, czując, że już wie, o czym on mówi, ale po prostu nie mogła jeszcze tego dokładnie określić.
- Panika, słabość, niepewność, brak, zazdrość itd.

- Widzisz te cząstki?
- Oczywiście. Dlatego jestem tu dzisiaj. Co czułaś dziś wieczorem?
- Panika, strach, niepewność...
- Dokładnie. Jak się teraz czujesz?
- Powiedziałbym, że w porządku, ale z tobą w pobliżu nie jestem tego taka pewna. Może raczej zdezorientowana.
- Spójrz na ten róg łóżka.
- Nic tam nie widzę.
- Spójrz uważnie.
- No dobrze, może trochę cienia.
- Jak to wygląda?
- Jak zwierzę? - nie była pewna. - Bardzo słabe, drżące zwierzę... i jest...
- Zaatakuje cię.
- Nie, jestem pewna, że to małe coś potrzebuje miłości.
- Zaatakuje cię i jest częścią ciebie i jeśli nie zaatakuje cię teraz, zaatakuje jutro ciebie lub kogoś, kogo znasz.
- Ale to wygląda tak niewinnie.
- Poczekaj chwilę - Śmierć jakby zastanawiał się nad czymś, po czym dodał: - Stale patrz w ten róg, patrz uważnie, dobrze? Bez względu na to, co teraz powiem, patrz.
- Dobra - wpatrywała się bardziej intensywnie.
- Teraz cię zabiję.
- Ha! - krzyknęła nie wiedząc, jak zareagować i na co. Czy na to, co właśnie usłyszała, czy na małe zwierzątko, które na nią wskoczyło i nie mogła go strząsnąć.
- Obserwuj bicie swojego serca, otrząśnij się! - doradził, a ona to zrobiła. Chwilę później małe zwierzątko wróciło do kąta i coś jadło. - Spójrz na to.
- To coś pochłania.
- Jak myślisz, co to jest?
- Nie wiem.

- Jak się czujesz?
- Boję się was obu!
- Pożera twoją energię.

Słysząc to, wpadła w złość. Jak na to pozwoliła?

- A ty? Czy teraz twoja kolej? Teraz ty zamierzasz mnie zabić?
- Powiedziałem to tylko po to, by wywołać w tobie strach przed śmiercią. Oczywiście masz taki strach. Co za dziwny pomysł wzywania śmierci, kiedy się jej boisz. Nie jesteś racjonalna, ale przynajmniej jesteś komunikatywna, potrafisz mnie usłyszeć i zobaczyć.
- To dlatego, że mam halucynacje... prawdopodobnie - nie była już pewna. - Co teraz?
- Musisz to zabić.
- Ja? Czy jesteś jakimś dziwakiem? Teraz namawiasz mnie do zabijania?
- Zabij to!
- Nikogo nie zabiję. Ta rzecz prawdopodobnie cierpi i nie wie, co robi. Potrzebuje pomocy.
- Twoje miłosierdzie ci tu nie pomoże. Zabij to.
- Nie.
- Cóż, zabiję to dla ciebie.
- Nie! Hej, ty... Ty mały uciekaj! On cię zabije.
- Jesteś szalona. To cię zaatakowało, a ty okazujesz litość czemuś, co wysysa twoją energię i staje się coraz potężniejsze! - Anioł śmierci wyjął migoczący, zakrzywiony pełen symboli nóż, wykonany z czarnego obsydianu. W następnej chwili zobaczyła, jak małe stworzenie umiera, zamieniając się w dym. W końcu zniknęło. - Jak się czujesz?
- Czuję dziwny rodzaj energii w moim ciele - była w szoku, ledwo mogła mówić.
- Twoja energia wraca do ciebie. To jest twoje.
- Czuję się silniejsza. Jestem mi... całkiem dobrze - sama była zdziwiona.

- Masz, weź to - dał jej nóż. - O zobacz tam jest jeszcze jeden, podobny do poprzedniego zwierzątka. Nazwałbym to niepewnością. Ten ostatnio dość często cię przygnębia. Zabij to.

Zawahała się przez chwilę, ale tym razem nie mogła odmówić. Co by było, gdyby mogła być wolna od... Chwileczkę, co mówił wcześniej o tym całym zabijaniu?

- Przestań myśleć, zabij to.

Powoli zbliżyła się do małego stworzenia, które wydawało się ją wyczuć, ponieważ się trzęsło.

- No dalej, ty czy on? Pozwoliłabyś komarowi wypić twoją krew?

To pytanie było właściwe i spowodowało, że wepchnęła nóż prosto w środek dymnego cienia, który po prostu się rozproszył - Jak się czujesz?

- No naprawdę dobrze.

- Sprecyzuj.

- Jakbym wiedziała, co robię, jakby to było w porządku... o mój Boże! Czy nie namówiłeś mnie właśnie do zabijania? Ale cholera czuje się tak dobrze. Czy masz to uczucie, kiedy zabijasz ludzi?

- Nie, to inna historia.

- Zabiłeś ich tym nożem?

- Nie zabijam ich, mówiłem ci, pomagam im.

- Czy oni myślą tak samo?

- Kiedy ich uwolnię, idą własną drogą. Są radośni i wolni. Na niektórych ktoś czeka, więc prowadzę ich do nich.

- Rozmawiasz z nimi?

- Nigdy mnie nie zauważyli. Być może mogłem zmienić się w coś, w co wierzyli.

- Jak szkielet?

- Nie. To naprawdę przereklamowane. Osobiście uważam to za bardzo głupie, niedojrzałe i uproszczone.

- Hmmm... - pogrążyła się w myślach. - Powinnam się teraz bardzo wstydzić, ale nie mogę zaprzeczyć, że czuję się tak dobrze. Zabijanie jest złe, ale... masz coś do zabicia?

- Spokojnie, masz taką tendencję... Dojdziemy tam.
- Nie wiem, ale nie boję się ciebie. Jestem po prostu tak ciekawa ciebie. A tak przy okazji, dlaczego musisz być tak cholernie atrakcyjny?
- Nie musisz się bać. Jestem aniołem.
- Chyba psycholem. Psycho-anioł...
- Myślę, że powinnaś teraz odpocząć. Koniec z zabijaniem tej nocy. Daj mi nóż.
- Jaki nóż? - ukryła go pod kołdrą.
- Proszę o nóż!
- Nie sądzisz, że kiedy odejdziesz, powinnam mieć coś, co mogłoby mnie chronić? A tak przy okazji, skąd one pochodzą, te małe stworzenia?
- Stworzyłaś je.
- Świetnie, wińmy mnie.
- Nie bierz tego do siebie, wszyscy je tworzą. Czasami jest to twoje własne, czasami spotykasz czyjeś gówno i wtedy przykleja się do ciebie.
- Masz dla mnie dodatkowy nóż?
- Nie myślałem o tym wcześniej. Nikt o to nie prosił.
- Więc jak zdobyłeś swój?
- To niezła historia...
- Możesz mi powiedzieć.
- Jeśli chcesz...
- Jasne, że chcę. Ale teraz, jeśli coś mnie zaatakuje...
- Jesteś ostatnią duszą, więc zawsze jestem blisko.
- Ale może chcę to sama zabić?
- Dobra, pomyślimy o tym.
- To dziwne. Zabijesz mnie pewnego dnia, ale teraz czuję, że będziesz się o mnie troszczyć. Ostrzeżesz mnie przynajmniej czy coś? - zmęczona kobieta zaczęła częściej ziewać.
- Żadnego zabijania. Wyrzuć to ze swojego systemu. Będę w pobliżu.
- Ale porozmawiamy jeszcze?

- Tak.
- Obiecujesz?
- Obiecuję, teraz śpij.
- Ale gdzie jest ta twoja historia?
- Pokażę ci. W tym celu musisz zacząć śnić...

&&&

- Znowu ty? - wracała do domu z podróży. Na rogu stał Śmierć.
- Obawiam się, że to kwestia życia lub śmierci.
- Zatem gdzie jest życie, wszystko co widzę to Śmierć.
- Myślałem, że chcesz wiedzieć, co się dzieje.
- Nie wiem, czy to właściwy moment. Mam naprawdę dziwny ból w klatce piersiowej. Pewnie panikuję, ale co, jeśli zaraz dostanę zawału serca. Czytałam, że tak zaczynają się objawy.
- To wszystko zależy. Po prostu podążaj za mną.
- Łatwo powiedzieć. Muszę iść do domu. Jestem naprawdę zmęczona.
- Chodźmy zatem.
- Możesz zanieść moją walizkę na górę, czy też jesteś tak niewidzialny, że to niemożliwe?
- Nie do końca mam ciało, ale mogę trochę pomóc. Po prostu udawaj, że ci pomagam.
- Nadal ta waliza jest dość ciężka - westchnęła wciągając ją po schodach na piąte piętro. Co to za budynek, który nie ma windy i ona tu mieszka!
- Zatem wyobraź sobie mocniej.

&&&

- Jesteśmy tu ponownie - Śmierć pojawił się tuż przed nią, idąc ulicą w środku nocy.
- Czy to jest ten czas? Jesteś tu, żeby mnie odciąć?
- Nie, nie sądzę.
- Po co więc? - tym razem nawet się nie bała.
- Ty mi powiedz. Zwykle nie wzywam siebie samego.

- Nie. Czekaj... Uważasz, że wzywały cię wszystkie moje ostatnie myśli o śmierci?

- Jeśli chodzi o moje uszy, to był ciągły krzyk. Nie byłem pewien, czy wiesz, co robisz, ale cóż... Oto jestem - utrzymywał tempo, idąc ramię w ramię.

- Co teraz? - zapytała.

- Skąd mam wiedzieć?

- Gdzie byłeś przez cały ten czas?

- Tu i ówdzie - spojrzała na niego z pytaniem, które malowało się na jej twarzy. - Blisko, ale nie za blisko, obserwuję cię, ale nie przeszkadzam.

- A ile to jest blisko, ale nie za blisko? - nawet jeśli była sarkastyczna, nie wychwycił tego.

- To stan gotowości do ponownego pojawienia się przed tobą w dowolnym momencie.

- Wydaje mi się całkiem blisko. Prawie tak, jakby to była kwestia blisko lub jeszcze bliżej - spojrzała w jego piękne, głębokie oczy i wiedział, że wie. Tak naprawdę nigdy go nie było, co sprawiało, że czuła się trochę bardziej komfortowo. Dziwne, pomyślała, śmierć, która sprawia, że człowiek czuje się komfortowo.

- To jest do zrozumienia. W niczym nie przypominam ludzkiego rozumienia śmierci. Jestem po twojej stronie. To jest jak... - przez chwilę wydawał się szukać odpowiedniego słowa. - Jak małżeństwo.

- No bez przesady!

- Ale tęskniłaś za mną. Czułem to. Powiedziałaś to w swoim umyśle, żeby cię zabrać.

- Mam nadzieję, że tego nie posłuchasz.

- Nie zrobię tego. Coś się zmieniło.

- A co?

- Widzisz, nigdy wcześniej nie miałem takiej sytuacji. Po tobie wszystko może się dla mnie skończyć. Ty idziesz, ja idę. I nigdy wcześniej mi się to nie zdarzyło.

Teraz to dostała. W końcu przyszło jej do głowy, że nie chce odebrać jej życia ani w żaden sposób pomóc jej w przejściu do innego, mniej cielesnego wymiaru. Fajnie! Pomysł bycia nieśmiertelnym wywołał uśmiech na jej twarzy.

- Naprawdę? - zaprosiła go do domu, wiedząc, że tak naprawdę nie trzeba go zachęcać. - A co się z tobą stanie po mojej śmierci?

- Nie mów śmierci, powiedz przeniesieniu się do innego wymiaru. Naprawdę nie podoba mi się ten umierający pomysł. W dzisiejszych czasach czuję się niekomfortowo. Rzecz w tym, że nie wiem, a niewiedza to kolejny powód, by to wszystko przemyśleć. Dlaczego miałbym iść gdzieś, gdzie nie wiem, co mnie czeka.

- Ale wiesz, dokąd poszli wszyscy ludzie, których... odciąłeś?

- To jest problem. Poszli w różne miejsca.

- Od czego to zależy?

- Od wielu czynników, od wierzeń, zbiegów okoliczności, jakości przejścia.

- Dlatego byłoby logiczne zapytać cię, w co wierzysz? - przeszła do łazienki, żeby umyć zęby.

- Nie idź tam. Ludzie we mnie wierzą, myślisz, że zostało mi coś, w co ja mógłbym uwierzyć?

- Do łazienki? - stanęła w pół kroku?

- Nie, nie idź za tą myślą w co ja wierzę. Lepiej tam nie kopać.

- Zatem... hggr... - był naprawdę dobry w czytaniu jej w myślach, więc nie przeszkadzało mu to, gdy próbowała zadać pytanie, mając usta pełne pasty do zębów.

- Nie wiem, w co wierzę.

- Brzmi to jak problem boga. Ciekawe, czy Bóg wierzy w siebie? - przeniosła się teraz do swojej sypialni, szykując się do snu. Usiadł przed nią na dużym łóżku, w którym się położyła. - A co z innymi takimi jak ty? Dokąd odeszli po ostatniej osobie?

- Po prostu odeszli. Nigdy więcej ich nie widziałem.

- Przerażające i podejrzane - ziewnęła.

- Dokładnie! Ale nie myślałem o tym, bo miałem tyle pracy, że ciągle musiałem zwracać uwagę na ludzi, którymi się opiekowałem, zwłaszcza na te typy samobójcze i ich ciągłe fałszywe alarmy. Naprawdę nudne.

- Rozumiem - starała się myśleć, ale teraz była coraz bardziej zmęczona.

- Będziesz tutaj, kiedy będę spać?

- Mogę. Wolisz rozmawiać podczas snu?

- Czy to bezpieczne?

- Nic w tym wszechświecie nie jest bezpieczne, myślałem, że już to wiesz.

- W porządku, czy jestem z tobą bezpieczna? - nigdy nie ufała innym, ale wydawał się mieć motyw, by uczynić ją nieśmiertelną.

- Nie mam skłonności samobójczych, a jeśli nie ma już dla mnie nic po tym życiu. Długim życiu... Więc co dalej? Może ja wcale nie chcę odejść.

- A jeśli to jest coś dobrego? - powiedziała to zbyt szybko, nie myśląc, że nie powinna sugerować mu takiego pomysłu. - Nawiasem mówiąc, ostatnim razem wydawało ci się, że dokładnie wiesz, co się dzieje i byłeś tak wszystkiego pewny.

- Kłamałem. Jak by to wyglądało... jakie pierwsze wrażenie zrobiłbym na tobie, gdybym żył tak długo i nie wiedziałbym wszystkiego?

- Dokładnie takie, jakie teraz na mnie robisz. Przerażające i fascynujące jednocześnie. Może więc potem czeka na ciebie coś w rodzaju nagrody?

- Ta... - odwrócił wzrok, jakby nie chciał się do czegoś przyznać.

- Nie wydajesz się być zainteresowany czymś lepszym. A co ze mną? Czy wiesz, gdzie bym poszła? Powinieneś to wywnioskować z moich przekonań, prawda?

- To nie jest łatwe, twoje przekonania są chaotyczne, zmieniają się. Z tobą też jest problem.

- Hmmm... - zamknęła oczy. - W końcu istnieje coś takiego jak reinkarnacja, więc być może wszyscy odrodzimy się na nowo.

- Myślisz, że mogę być człowiekiem?

- Cóż, miałeś stulecia, żeby to rozgryźć, czyż nie? Życie ludzkie rzadko osiąga sto lat, więc spodziewasz się, że ja wiem więcej?

- Zbyt ryzykowne, by tak po prostu przejść i próbować na ślepo

- Śmierć spojrzał w górę, jakby tam, na suficie była informacja, której szukał.

- Pewnie masz rację, nie mam pojęcia, dokąd pójdę, więc gdziekolwiek to jest, lepiej tam jeszcze nie iść. Zwłaszcza, że wydaje mi się, że jestem niestabilna w swoich przekonaniach.

- To czyni cię interesującą. Może faktycznie to przez Ciebie zacząłem więcej się zastanawiać. Sprawiłaś, że lepiej zrozumiałem ludzi, ale najlepsze jest to, że zacząłem czuć.

- Wątpię w to. Nie mogę uwierzyć, że przez wieki nie spotkałeś nikogo interesującego.

- Rzucasz mi wyzwanie? Oczywiście spotkałem mnóstwo wspaniałych ludzi, ale nie mogłem rozmawiać z nimi tak jak z tobą.

- To sprawia, że czuję się bardzo samotna. Tylko ja rozmawiam ze Śmiercią? Wątpię bym była jedyną. Wielu już ze śmiercią rozmawiało.

- Muszę się zastanowić, zanim coś ci powiem. Kwestionujesz mnie tak bardzo, że ja sam zaczynam kwestionować siebie, moje doświadczenie, a nie powinienem tego robić.

- W takim razie nie jestem dla ciebie dobra. Przypuszczam, że to ja szukam tutaj odpowiedzi, a ty przypuszczasz, że mi ich udzielasz. Bądź mądrzejszy!

- Obawiam się, że nie jestem.

- Co za strata wieków.

- Nieważne, ale dochodząc do rzeczy... - chciał kontynuować, ale zdał sobie sprawę, że zasnęła. Uciszył się na chwilę, po czym w samą porę podniósł prawą rękę i powoli poruszając się z boku na bok. Jego sceneria zmieniła się a ona już nie spała.

- Gdzie jesteśmy? - siedziała zaskoczona, podziwiając nowe środowisko.

- Myślałem, że spodoba ci się ciemne niebo wypełnione gwiazdami. Ludzie zawsze to lubili. Tak przypuszczam.

- Ładny widok. Wygląda tajemniczo, surrealistycznie. Gwiazdy wydają się być tak blisko nas. Mogłabym dosięgnąć ich ręką - uśmiechnęła się i wyciągnęła rękę ku gwiazdom. - Och, to tylko złudzenie. Czy jesteśmy we śnie?

- Jasne, że tak. Mówiłem... - znowu przerwał, widząc, że bardziej interesuje ją aksamitna ciemnozielona trawa wokół. Był ciekaw, czy wszystko dla niej stworzone wygląda dobrze.

- Hmmm... - wzięła głęboki oddech. Podoba mi się tu. Mogę oddychać świeżym powietrzem. Czy czujesz wokół siebie ten mroczny spokój? Co tam jest? Wejście do dżungli? - znów wskazała ciemniejszy róg przestrzeni.

- Tak jakby - uśmiechnął się, czując, że podoba jej się ten widok. Ale teraz musiał wreszcie głośno wypowiedzieć to, co przez tak długi czas tkwiło w jego umyśle. - Nie mogę pozwolić ci przejść przez wymiar - powiedział wystarczająco dramatycznie, by zwrócić jej uwagę. Jej proszące spojrzenie zachęciło go do powiedzenia więcej: - Będę za tobą tęsknić. Przyszło mi, więc do głowy, że chcę być blisko ciebie. Gdyby nie Ty nigdy nie zadałbym sobie tych wszystkich pytań, a co więcej nigdy nie szukałbym odpowiedzi. Może będę samotny bez ciebie.

- Ups - nie wiedziała, jak zareagować. - Ojej! - teraz zauważyła jego poważną twarz. - Jesteś cudowny, piękny, ale mam już chłopaka.

- Nie o to chodzi! Nie chodzę na randki - nagle zmienił ton, jakby protestował przeciwko temu, co zasugerowała.

- Och! W porządku! - nie wiedziała, na ile był świadomy własnej oceny tego, co się tutaj dzieje. Spokój nocy, gładkie prawie ciemne niebo idealnie korespondowały z pasującymi do obrazu długimi ciemnymi włosami Śmierci. Jeśli pragnęła niezwykłego snu, właśnie go tutaj miała. Nie mogła powstrzymać myśli, jak dobrze czuła się w jego obecności, w ciemności do której się dokładał. Był częścią cykli natury, które przychodzą i odchodzą, ale zawsze istnieją tak mocno, że uważane są za oczywiste.

- A co, jeśli reinkarnowałam się, a ty już wiele razy odcinałeś mi linię życia? Przypominasz sobie? - miała pomysł, gdzieś tam formowała się inna myśl.

- Wątpię, pamiętałbym.

Dzwonek dzwonił, wstrząsając scenerią i zamazując jej widok.

- Co to jest? - zmarszczyła czoło ze zmartwienia.

- Głupia! To twój alarm! Ustawiasz alarm na wolny dzień, kiedy możesz spać? Coś jest z tobą naprawdę nie tak - Śmierć jednak się uśmiechnął.

- Zapomniałam - nie chciała się obudzić.

&&&

Shayla

Jej mały sekret był nie tylko brudny. Był krwawy. Pragnienie sprawiało, że hipnotyzowała ofiary, oczarowywała je czułym pocałunkiem, który okazywał się być ugryzieniem, przyjemnym dla obu stron i nikogo nie zabijającym. Pokusa była silna, a kontrolowanie, spowalnianie picia, dawało jej absolutną pewność siebie w każdej sytuacji. Złudzenie rozprzestrzeniające się na innych, było dla nich tylko miłą rozmową. Uwielbiała ich smakować, a potem obserwować ich życie, ukazane poprzez bogactwo obrazów podczas picia.

Nienawidziła faktu, że była wampirem.

Głód zdawał się mówić: daj mi, bo jak nie i tak to wezmę. Nie rozumiał słowa: nie. Głód nie chciał być miły.

A ofiary? Podzieliła je na dwie grupy: pragnących jej i przestraszonych. Jako koneser krwi zawsze szukała tego, co najlepsze i czuła, jakie piękno płynie w ludzkich żyłach. Preferowani byli mądrzy, inteligentni, silni mężczyźni, którzy doświadczali ekstazy z seksualnych przygód. Mogłaby przejść na wegetarianizm, ale jakość była nie do przyjęcia. Nie miała nic przeciwko mięsu, ale problem tkwił w nowoczesnym mięsie, jego złej jakości.

Ktoś jej kiedyś powiedział:

- Kiedyś jadłem Indian amerykańskich. Mają tak dobre mięso, bo jedzą tylko naturalne produkty.

- Jak? Ich magia nie pozwala nam podejść bliżej.

- Zdobyłem przyjaciela - powiedziało cholerne stworzenie, które być może chciało jej tylko zaimponować. - To, do czego teraz zmierzam, to królewska krew - wspomniał przed wyjazdem.

- Czekaj - chciała dowiedzieć się więcej, bardziej z samotności niż z wiary w niego. - Królewska krew należy do innych wampirów. Nie możesz nadużywać tego prawa...

- Jest wielu ludzi, którzy nie wiedzą, że w ich żyłach płynie królewski płyn - uśmiechnął się. - Do zobaczenia, lubię polować sam.

Pozwoliła mu odejść. Nie był przyjazny, wysysał kogoś na jej oczach na śmierć i nie dzielił się z nią, nie dbał o zaspokojenie jej potrzeb.

Miasto wyglądało pięknie w nocnych światłach, ale musiała skupić się na karmieniu i walce z podstawowym instynktem niszczenia.

Obiekt pojawił się wkrótce...

- Hej kochanie - niebezpiecznie wyglądający mężczyzna obudził się przed nią w ciemnej uliczce. Dobrze, że się nie bał.

- Cześć przystojniaku, chcesz się zabawić? - uśmiechnęła się chłodno, ale on tego nie zauważył, zamierzając ją złapać i pociągnąć, by zaspokoić własne pragnienie. A potem było dla niego za późno. Sekunda realizacji nie wystarczyła. Jej kły połączyły się z jego szyją i nawet nie zadała sobie trudu, by go oczarować, myśląc, że na to nie zasługuje. Próbowała przekonać samą siebie, że smak nie jest taki zły. Ale był. Nie było potrzeby go zabijać. Jego właśnie otrzymana trauma będzie go ścigać do końca życia, próbując poskładać w całość fragmenty tego, co mu się przydarzyło. Przynajmniej już nikogo nie skrzywdzi.

&&&

Shayla raz próbowała umrzeć, ale popełnienie samobójstwa nie było możliwe. Nie paliło jej dzienne światło. Ona też nie miała dość nerwów, żeby się założyć. Był jednak inny sposób. Dowiedziawszy się o Oświeconym, szukała go. Dotarcie do tego deseru zajęło jej półtora dnia. Wylądowała gładko na piasku rozpoznając w ciemności jego światło. Czuła się tak, jakby przez cały ten czas za nim tęskniła, chociaż zobaczyła go po raz pierwszy w życiu. Emanowało od niego czyste, kolorowe światło.

- Wiem, że mnie szukałaś - on przemówił pierwszy.
- Możesz mnie zabrać ze sobą?
- Nie mogę nawet do ciebie podejść. Umrzesz wtedy.
- Proszę pozwól mi umrzeć - błagała.

Zrobił krok w jej stronę i wyciągnął rękę, jakby udając, że jej dotyka. Nagle cofnęła się przerażona.

- Widzisz? To jeszcze nie twój czas. Poznaj siebie.
- Proszę, zabierz mnie ze sobą - zapłakała.
- Nie mogę. Umrzesz. Rozpuścisz się. Shayla, masz największe moce w tym wszechświecie. Podążanie za mną sprawi, że je stracisz. Co może być lepszego niż moc, którą masz?
- Miłość.
- Nie wiesz, czym jest miłość.
- Ale wiedziałam. Możesz mi pomóc znowu wiedzieć. Jestem niczym bez Ciebie. Chcę ciebie.
- Nie mogę. Prawdopodobnie wyprowadzilibyśmy wszechświat z równowagi. Twoja ciemność jest zbyt silna.

Energia wokół niej zawirowała i znalazła się w innym środowisku. Mieszanina odrzucenia sprawiła, że znów poczuła głód.

Ten świat zawsze zawierał przestępców, których mogła ukarać bez wyrzutów sumienia, że jest zła. Łatwo też było ich znaleźć. Jej zmysły były wyostrzone.

Wylądowała za rogiem, wiedząc, co kryje się za nim. Dwóch mężczyzn przeszło jej drogę, gwiżdżąc.

- Hej panienko. Cóż za piękna noc.
- Nigdy nie wiesz, czy polujesz, czy jesteś ścigany, ha? - odpowiedziała uroczo.
- Może pokażesz nam, co znajduje się w środku twojej torby?
- Może mogę ci pokazać znacznie więcej...

Co stało się później, nigdy by się nie domyślili. Nie było to dla niej smaczne, ale było dla nich przerażające. Zaczęli biec, zanim w końcu się zatrzymali.

- Hej człowieku, co się właściwie stało?
- Nie wiem, ale instynkt kazał mi uciekać.
- Masz torbę?
- Jaką torbę?
- O rany, mówiłem, żebyś nie palił tego gówna.

&&&

Ogromne pragnienie napicia się kazało jej poszukać przynajmniej kilku kropel. Ludzie, rodziny i pary szli przez miasto w wolnym tempie, leniwie, mniej więcej w tym samym rytmie. Nie wyglądali na szczęśliwych, oceniła Shayla. Wiedziała, że są częścią systemu, a ona z niego uciekła, płacąc swoją cenę.

Niewolnictwo, o którym nikt nie wiedział, powoli wyłączało świadomość ludzi przez złą jakość żywności, telewizję, zanieczyszczenia, reklamy i narkotyki. Nawet ich krew pachniała nudą. **Nie ma potrzeby powiększać nieszczęścia, podwajając je.** Zmieniła miasto na większe. Tam młodzi ludzie wychodzili, uśmiechnięci, wciąż pełni nadziei, nie wiedząc, co przyniesie przyszłość. Ale ich myśli były niepokojące. Zawsze nazywała to: agonią ludzkich umysłów.

- Hej ty! To moja okolica. Nie możesz tu polować. Nieznajomy, którego kiedyś spotkała, powstrzymał ją, stając na jej drodze.

- A co? To twój teren? - mogłaby go z łatwością zaatakować, a może nawet mu się to spodoba, ale oboje nie zdążyli rozpocząć walki. Zostali otoczeni przez dziwny dźwięk dochodzący z samochodu. Był tylko kierowca i ktoś, kto wysiadł z furgonetki. Shayla i jej przeciwnik upadali.

- Pozwól, że ci pomogę - oboje zostali zaprowadzeni do samochodu. Nikt nie zwracał na to uwagi. Sprawy wyglądały normalnie.

&&&

- Czy nie sądzisz, że takie stworzenia jak ty powinny bardziej służyć społeczeństwu? Jesteś niczym! Wiemy, kim jesteś - głos mężczyzny był spokojny, ale Shayla wyczuła jego nienawiść w stosunku do niej. Nie odpowiedziała i nie mogła się ruszyć, rozpoznając, że jest więźniem. Jakiej broni użył, by sparaliżować jej siłę? On kontynuował: - Zasługujemy na twoją krew, każdego dnia trochę, a będziesz wolna. Czasami damy ci dzień lub dwa wolne. Jeśli dobrze nam posłużysz, damy ci więcej dni gratis. Ludzie nazywają to wakacjami - jego śmiech sprawił, że kontur jego ciała zamazał się, ujawniając, że nie jest człowiekiem. Shayla zauważyła łuski pokrywające jego zmieniający się kształt. Po raz pierwszy się przestraszyła. - Ludzie nam służą, więc ty też będziesz. Zabijemy cię bardzo powoli, bo przez jakiś czas cię potrzebujemy. Za swój czas i krew zarobisz na dobre życie, jedzenie, miejsce na nocleg i wszystko, czego zapragniesz. To dobry interes. Weź to.

- To nie jest to, kim jestem.

- Jesteś nietowarzyska. Sprawimy, że będziesz bardzo towarzyska. Każdy może to robić, więc ty też. Nie możesz zaprzeczyć kim jesteś, albo zapomnieć tylko na jakiś czas? To takie proste. Spójrz na wszystkich ludzi, są w tym mistrzami. Musisz zaakceptować fakty. Tak zaprojektowano ten świat. Trzymać się zasad! Co jest złego w oddawaniu krwi kilka godzin dziennie? Możemy iść na kompromis. Możesz wybrać formę swojej porcji. Chcemy tylko twojego czasu i krwi, nic więcej. Za to też coś oferujemy, nie jesteśmy tacy źli. Pomyśl o tym jako o współpracy.

- Zatem jest to światowe więzienie zaprojektowane w taki sposób, aby nikt nie pomyślał, że w nim jest. Wciągnąłeś w to ludzi, a teraz nawet wampiry?

- Wiesz co jest takiego pięknego w ludziach? - mężczyzna chciał jej powiedzieć więcej. - Myślą, że są wolni i dokonują własnych wyborów. Ale to my dajemy im tę słodką iluzję i uspokajamy zdolnością zapomnienia. Sprawiamy, że na co dzień zapominają, każda dostarczana przez nas rozrywka jest zarażona ignorancją, wyciszającą ludzkie myślenie - jego szczerość mieszała się z satysfakcją. - Wszystkim rządzimy, także wampirami. Jeśli będziesz współpracować, nie będziemy Ci przeszkadzać, nawet Ci się spodoba. Nawet ty potrzebujesz schronienia. Nie możesz ciągle od nas uciekać. Jesteśmy już wszędzie.

- Nie zrobię tego - przestraszona spojrzała na niego.

- Musisz. Ktoś chce z tobą porozmawiać. Nasza kochana Emilia. Jest bardzo mądra, posłuchaj jej.

- Cześć - Emila weszła do pokoju. - Słyszałam historię. Rozumiem cię.

Wątpię, pomyślała Shayla, ale nic nie powiedziała.

- Słuchaj, musimy grać zgodnie z ich zasadami. Gdybyś mogła po prostu zaakceptować rzeczy takimi, jakie są, nie czułabyś tego bólu. Dlaczego nie pójdziesz na kompromis? Naprawdę chcę ci pomóc - jej głos był melodyjny, w pewien sposób terapeutyczny i przekonujący. - Po odbyciu służby możesz być i robić, co tylko zechcesz. Zostawią ci więcej wolności, niż myślisz. Spróbuj. Zawsze możesz przestać, jeśli uznasz, że to nie dla ciebie.

- Wierzysz w to, co mówisz? Oni cię zarazili.

- Zupełnie nie. Robię, co chcę, wyrażając siebie na wiele sposobów. Po prostu daję im to, czego chcą.

- Cieszę się, że ci się podoba. Nie jestem zainteresowana. Powiedz im, że nie boję się umrzeć i nie idę na kompromis.

- Musisz to przemyśleć! To kwestia perspektywy. Po prostu zmieniasz swoje nastawienie. Jesteś takim dobrym pretendentem. Nie możesz udawać? Zrób to dla zabawy. Dla nowych doświadczeń. No, nie bądź taka egoistyczna. Pomożesz komuś. Ukryj swoją dumę i bądź jak my wszyscy.

- Pozwól mi odejść, Emilio.

- Przyjdę jutro.

Shayla została sama, ale nie na długo. Mężczyzna wrócił.

- Idź Shayla, ciesz się naszym pięknym ogrodem. Chcemy Ci pomóc. Damy ci schronienie. Czy mogła odejść? Zastanawiała się, spacerując po ogrodzie, nie mając siły latać, zatem i uciekać. Ich niszczycielskie, gwałtowne wibracje były wszędzie. Poczuła to tutaj mocno. Ludzie o tym nie wiedzieli. Spotkała kilku z nich, cieszących się resztą dnia po nakarmieniu wampirów swoją własną krwią. Najwyraźniej tego nie pamiętali. Shayla obserwowała własny strach, patrząc na fontannę. Poczuła do siebie nagły niesmak, ale bezradna nie mogła znaleźć wyjścia. Szum wody nieco rozpuszczał wysokie, niszczące fale rozchodzące się po okolicy. Była pewna, że to był powód, dla którego nie mogła wylecieć. Zamknęła oczy, skupiając się na płynącej wodzie. *Obudź się.* Głos był inwazyjny dla jej uszu. *Daj spokój! Wstań.* Zauważyła swojego poprzedniego wroga, który teraz być może zamienił się w sojusznika.

- Kim na prawdę jesteś?
- Kim powinienem być?
- Jasne, to wszystko wyjaśnia.
- Musimy wykorzystać sytuację na naszą korzyść.
- Masz pomysł jak?
- Stamtąd pochodzi źródło tego dźwięku - wskazał.
- A jeśli to nie jedyna broń, dzięki której nie możemy latać?
- To jest to, zaufaj mi.
- Zaufanie czasami jest powodem wielkiej porażki.
- Nieważne, nie ma mnie - jego złość sprawiła, że zachowywał się przypadkowo i rzeczywiście ruszył w kierunku wieży, skąd myślał, że dochodzi dźwięk.

Shayla została jeszcze chwilę, a woda po raz kolejny przykuła jej uwagę. Ciemność wieczoru uczyniła ją prawie niewidoczną. Była pewna, że jest obserwowana. Lekko zanurzyła stopy w wodzie. Czuła, że tam nie ma dna.

Wskoczyła. Zanurzyła się jakby chciała się wykąpać, lecz zanurkowała i wstrzymała oddech. Osłabiający jej moce dźwięk zniknął. Otworzyła oczy i zdała sobie sprawę, że jest w pełni sił. Może tylko tutaj, pod wodą, ale jej myśli stały się jasne. Co, jeśli... tylko co, jeśli... Na chwilę spuściła głowę, a woda w jej uszach wciąż zmniejszała siłę uderzenia tej straszliwej fali, która emanowała z wieży. Jak daleko mogła się posunąć i jak... Nie musiała planować, co robić. Ona to utrzyma. Upewniła się, że woda pozostała w jej uszach teraz, kiedy ponownie zanurkowała. Następnym razem nie wyszła, ale wystrzeliła lecąc w noc, rozpoznając ogrodzenie do przekroczenia. Była pewna, że tam dźwięk będzie słabszy. Poradzi sobie. Była na zewnątrz, trzymając ręce przy uszach. Jednak jej siła nagle osłabła, jakby było tu coś jeszcze. Upadła ciężko na ziemię, słysząc alarm. Straciła wodę, poczuła się otępiała, a jej ruchy znów zostały stłumione, zwalniając, niebezpiecznie zwalniając.

Proszę, pomyślała, *tylko jeden szczęśliwy zbieg okoliczności...* Jej oczy nie widziały wyraźnie scenerii, a to, co dostrzegała, nie mogło być prawdą. Musiała być w jakiejś iluzji. Szczęśliwy zbieg okoliczności wyglądał jak Dinozaur i Krasnolud krzyczący za nią:

- Uwaga! Dinozaur.

Czy to możliwe, że Shayla zostanie zmiażdżona przez dinozaura?

- Co to jest? - Krasnolud zwolnił, a za nim i Dinozaur. - Co za okropny dźwięk! Musiałem pomylić się z wymiarami. To miejsce nie wygląda dobrze. Za ciemno dla nas. Chodźmy - Krasnolud spojrzał na swojego Dinozaura, który stał nieruchomo nad mokrym wampirem. Zamiast nadepnąć na nią, powiedział: - Nie wyglądasz dobrze. Chcesz iść z nami?

Sparaliżowana nie mogła mówić, chociaż otworzyła usta. Ogromne zwierzę zrozumiało. - Aaa, wróg? Możesz rozmawiać telepatycznie. Idą nas zabić? Musimy iść?

- Chodźmy! - krzyknął Krasnolud.

Dinozaur nie myślał za dużo, złapał mokre stworzenie za ubranie i wskoczył z powrotem do portalu za swoim Małym Przyjacielem.

- Wracamy do poprzedniego wymiaru - oboje go usłyszeli.

&&&

Znaleźli się na łące.

- W końcu dobrze to zmierzyłem. Możemy tu zostać przez jakiś czas, nie ryzykując, że wpadniesz na dziwne przedmioty - Krasnolud odetchnął z ulgą i wtedy zauważył mokrego leżącego stwora. - Co ze sobą zabrałeś? Co to jest?

- Nie wiem. Potrzebuje pomocy.

- Nie pomagamy. Nie wtrącamy się.

- Robimy to przypadkowo. To był wypadek - Dinozaur powiedział niewinnie.

- Wziąłeś to przypadkowo?

- Wygląda na nią.

- Ona - powiedziała z dołu, spojrzała na nich obu myśląc, że śni.

- Czy to nowa broń, której nie znam? Kolejna sztuczka? - Shayla zamrugała oczami. Nieprzyjemny dźwięk zniknął, ale nie mogła uwierzyć, że jej nowe środowisko jest prawdziwe.

- Podejrzewam, że przekroczyliśmy pogranicze. To nie jest dobre. Zaszliśmy za daleko - Krasnolud zastanawiał się. - Wygląda jak z horroru, a my nie robimy horrorów. Jesteśmy tylko w bajkach. Musimy utrzymać porządek. Co teraz zrobimy? Musimy ją oddać.

- O nie! Proszę! - Shayla zaprotestowała, słysząc, że być może mimo wszystko to nie jest podstęp jej wroga. Ale musi to sprawdzić. - Weźcie mnie ze sobą. Powiedz mi, co mogę dla ciebie zrobić.

Obaj spojrzeli na nią tępo.

- Nic - Krasnolud wzruszył ramionami. - Wyglądasz, jakbyś to ty potrzebowała pomocy, ale tego nie robimy.

- Czekaj, znamy kogoś, kto może jej pomóc. Nie możemy jej tak zostawić - Dinozaur chciał zatrzymać Małego Dziwoląga, który właśnie wstał i już odchodził.

- Naszym jedynym zadaniem jest trzymać się z dala od problemów. I za każdym razem, gdy korzystamy z portalu, wpadamy w sam środek kłopotu.

Ten mechanizm nie działa tak jak wcześniej - trzymał mały przedmiot, który świecił, ale Shayla nie mogła dokładnie zobaczyć, co to jest.

- Czy możesz mnie zabrać do tego kogoś, kto może pomóc?
- O nie! Absolutnie nie! Sto razy nie! - Krasnolud zaprotestował i Dinozaur odwrócił wzrok.
- Dlaczego nie?

Zapadła cisza, która dała jej znać, że coś jest nie tak.

- Możemy pokazać ci drogę. Ale nie wspominałbym, że cię wysłaliśmy - jej pytające spojrzenie sprawiło, że dodał:
- Powiedz tylko, że wpadłaś w portal z innej bajki. Nie mów, że pochodzisz z horroru. Nie robimy horrorów.
- To już wiem.

&&&

Okno balkonu było otwarte. Shayla wylądowała cicho i zapukała. Młoda kobieta w środku odwróciła się w stronę hałasu i napotkała na zewnątrz nową postać. Powoli ruszyła w kierunku drzwi.

- Proszę, zaproś mnie, muszę porozmawiać.

Lisa spojrzała na nią podejrzliwie i widząc pewien odcień ciemności zmarszczyła czoło.

- Nie robię horrorów. Kto cię przepuścił przez granicę?
- Ja... - Shayla zawahała się.
- Kto ci kazał kłamać? - zaalarmowana Lisa przeszyła ją spojrzeniem i wycelowała palcem prosto w nią: - Prawda i tylko prawda! Mów prawdę!
- W porządku, ale kazali mi o nich nie wspominać. Dinozaur z Krasnoludem.
- Och, oni. To się nigdy nie zdarzyło.
- Ale co?

- Nic. Jeśli coś się nigdy nie wydarzyło, to nie ma o czym rozmawiać - Lisa machnęła ręką.

Co za dziwna kraina, pomyślała Shayla, ale Lisa ją zaprosiła.

- Musisz wiedzieć, że jestem wampirem.

- Widzę to. Wyglądasz jak jeden z nich. Nie pasujesz do naszej rzeczywistości.

- Powiedzieli mi, że możesz mi pomóc.

- W czym? Idziesz do swojej Ziemi?

- Nie, proszę, nie wysyłaj mnie tam. Właśnie uciekłam. Byłam w więzieniu... a oni chcieli mojej krwi i...

- Dobrze, zachowaj ten horror dla siebie. Czego więc chcesz?

- Nie chcę być wampirem.

- Ha. To coś nowego.

- Jestem w tym taka samotna, nie mając nikogo. Jestem uzależniona a nie chcę być. Czy masz pojęcie, co to znaczy być zmuszonym do karmienia się krwią? Codziennie. Na zawsze - płakała, a jej łzy stały się krwawe.

- Och, przestań, właśnie posprzątałam! Nie ma mowy, żeby krwawe plamy zniknęły z dywanu.

- Och, przepraszam - teraz płakała nawet mocniej.

- Dobrze już dobrze - Lisa przyniosła serwetki. - Jaka jest Twoja historia?

- Nie mam historii. Pewnego dnia obudziłam się bez wspomnień, tylko z poczuciem, że jestem krwiożerczym potworem. Potem okazało się, że nawet jako wampir nie jestem wolna. Jest tam jakiś system i każdy obsługuje podmioty, które mają na sobie łuski. Pierwszy raz to zobaczyłam. Złapali mnie a potem przytrafił mi się Krasnolud z Dinozaurem.

- W porządku, więc jedna rzecz jest ustalona. Jesteś uchodźcą. Powszechne w moim wymiarze.

- Gdybym tylko teraz mogła przestać, może mogłabym tu zamieszkać?

- Zabijasz?
- Nie zawsze.
- Widzisz? To kolejna pozytywna rzecz. Chociaż przebywanie w moim wymiarze może mieć pewne konsekwencje... Hmmm... Nie możemy cię odwampiryzować... - głośno myślała.
- Wiem - ponownie zawołała Shayla.
- Albo myślimy, że nie możemy.

Shayla podniosła głowę z lekką nadzieją.
- Nie, jest zdecydowanie za wcześnie na nadzieję... po prostu myślę.
- Ah, dobrze.
- Zdecydowanie potrzebujemy więcej informacji. Niewiele wiem o wampirach - próbowała przypomnieć sobie wszystko ze swojej edukacji, ale wampirów po prostu nie było.
- Ja też.
- To niefortunne. Przejedźmy się w bezpiecznym środowisku. Zakładam, że nie atakujesz ciężarówek, salamandr, wiatrów, krasnoludów czy księżniczek.
- Potrafię się bardzo dobrze kontrolować.
- Dobrze dla ciebie, chodźmy - Lisa chwyciła klucze i torbę, odwróciła się i zmieniła zdanie. - Nie! Nie możesz tak wyjść. Idziemy najpierw do mojej szafy. Potrzebujesz odpowiedniej sukienki. Zdejmij to czarne... cokolwiek to jest.

Shayla posłuchała i zaczęła się rozbierać, ale Lisa ją powstrzymała.
- Bądź cywilizowana, jest łazienka. Tam - wskazała palcem. - Mam męża, na litość boską. Najpierw księżniczka, teraz wampir... kto wie co jeszcze...

&&&

Księżniczka Feniksja,
Lisa i Krasnolud

Był słoneczny dzień, kiedy na jej balkonie pojawił się szary cień. Chmura zmaterializowała się w postać młodej kobiety w białej, ale brudnej i potarganej sukni, która kiedyś była piękna. Na jej skórze, ubraniach i włosach znajdowały się smugi krwi.

- Pomóż mi - głos był cichy, prawie niesłyszalny.

- A ty kim jesteś? Księżniczką? - Lisa uniosła brew, zastanawiając się, kto tym razem został do niej wysłany.

- Pochodzę z innego królestwa.

- To widzę.

- Feniksja - wyciągnęła rękę, przedstawiając się.

- Będę tego żałować, jestem Lisa - spotkała jej rękę i dodała: - Dobra, nawet nie waż się tu siedzieć. Najpierw łazienka, moja pani - wskazała kierunek, pospieszyła po ręcznik i ewentualną nową sukienkę, z której mogła zrezygnować bez żalu.

- Herbata, kawa? - zapytała, kiedy obie wróciły do pokoju. Feniksja poprosiła o herbatę. - Przejdźmy do rzeczy. Miałam inne plany na ten piękny poranek. Jak się tu dostałaś?

- Przez portal.

- Och, ten. W porządku, jaka jest twoja historia?

- To bardzo smutne.

- Nie byłoby cię tutaj, gdybyś była szczęśliwa - nie chciała nawet zapytać, skąd dowiedziała się o Lisie? Czy we wszechświecie była jakaś dziwna reklama mówiąca: masz problemy? Niech Lisa się tym zajmie - mówisz bardzo cicho, prawie szepczesz, mów głośniej.

- Nie mogę - łzy w jej oczach świadczyły o bezradności. - Kiedyś nasze królestwo było szczęśliwe, otoczone dwoma morzami. Byliśmy sąsiadami z dwoma innymi królestwami, ale mieliśmy dostęp do wody z północy i południa. Nie muszę nawet mówić, jak było to dobre dla biznesu, rotacji i ciągłego napływu i tak dalej... Ale kiedy urodzili się moi rodzice, już tak nie było. Robili wszystko, co w ich mocy, aby przynajmniej zachować dostęp do morza od północy. Sąsiedzi zaczęli być agresywni. Chcieli zająć naszą ziemię. Atakowali z obu stron, pojawiło się też trzecie królestwo. Moi rodzice nie mieli takiej mocy.

- Chcesz ciasteczka?

- Jasne - Księżniczka chwyciła jedno, uciszając się na chwilę, a potem wzięła drugie. - Bardzo smaczne - miała pełne usta, więc trudniej było ją zrozumieć. - I wszystko się zaczęło. Zabili moich rodziców, moich ludzi. Ja też ledwo uszłam z życiem.

- Ledwo?

- Cóż, ta bardzo miła pani, nasza wiedźma, znała się na gwiazdach, więc widziała co nadchodzi. Przygotowała dla mnie portal, ale coś poszło nie tak i przez bardzo długi czas tkwiłam między światami lub wymiarami albo nie wiem gdzie. Była tylko przestrzeń.

- Czy wiesz, jak wrócić?

- Przede wszystkim nie mogę. Prawdopodobnie zabili wszystkich i przejęli kraj. W zasadzie zajmowali nas z trzech stron. Trochę im to zajęło, więc nadal byliśmy w stanie przeżyć, ale potem... no cóż, moje królestwo przestało istnieć. Na nowych mapach nie ma jego nazwy.

- Jaka jest nazwa twojej ziemi?

- Tak jak ja, nazywa się Feniksja.

- A tych innych?

- Wurstia z zachodu i Rukoya ze wschodu. Ten był całkiem duży. Twierdzili, że przestajemy istnieć... ukrywałam się... wtedy nie pamiętam, co się stało. Chyba wpadłam w ten portal. Jesteś pierwszą istotą, którą widzę od bardzo dawna i jestem naprawdę głodna, cokolwiek to jest, bardzo ładnie pachnie. Lisa podała młodej księżniczce jajecznicę z chlebem. Miała dzisiaj spotkanie, ale teraz wyglądało na to, że musiała je odwołać z powodu wizyty z innego wymiaru, którego kraj był lub nadal jest zagrożony, zakładając, że nadal istnieje.

- Co zrobimy z twoją sukienką? - Lisa dotknęła materiału. Był pokryty brudem i krwią. - Nie będzie ci już służył, ale cóż... to jedyna rzecz z twojego domu. Wypierzmy to. Krew nie zejdzie. Co to jest? - coś wypadło z sukienki. Było przywiązane do materiału i wyglądało jak kawałek zrolowanego papieru. Z zawiniątka wysunęła się mała tiara.

- Ostrożnie!

- Świeci się.

Diamenty? Umysł Lisy wytwarzał teraz niechciane myśli: co za artefakt. Ona chciała to mieć. Pergamin wyglądał jak mapa. Na drugi rzut oka granice między królestwami zaczęły się przesuwać. Na dole mapy były wskazówki, pokazujące jakiś zegar, przeszłość, teraźniejszość i przyszłość. Przynajmniej tak to wyglądało.

- Dobrze, że nie włożyłam tego do pralki - Lisa z ulgą odłożyła przedmioty na stół.

Drzwi się otworzyły i wszedł mąż Lisy.

- Wow, co to za rzeźba? Co znowu kupiłaś? - spojrzał na Księżniczkę, która się nie ruszała. - Co z tym zrobisz? Wygląda pięknie.

- Co? - Lisa zdała sobie sprawę, że Feniksja na jej oczach zamieniła się w kamień. Dotknęła jej, to był biały marmur.

- Haha, karmisz ją jajkami i ubierasz w swoją sukienkę? Jesteś taka zabawna. W każdym razie muszę wracać, po prostu zapomniałem zabrać ze sobą lunch - powiedział i wyszedł.

- Przykro mi. Przeraziłam się. To się zawsze dzieje, kiedy się boję. Nie mogę tego kontrolować. Skamieniam - wyjaśniła Feniksja. - To znaczy kamienieję.

- Nie martw się. Racjonalizacja jest po naszej stronie. Ludzie zawsze to robią! Zaufaj mi! Mam w tym wieloletnie doświadczenie. Wracając do ciebie... Opowiedz mi więcej o swoim królestwie. Cokolwiek.

Krasnolud

Przechodzenie przez ciemną ulicę w środku nocy nigdy nie było dobrym pomysłem, ale Lisa przyzwyczaiła się do nocnych podróży. Zrobiła kolejne dwa kroki, gdy zza rogu wyskoczyło na nią małe stworzenie, złapało ją i pociągnęło na ziemię. Próbowała się otrząsnąć, ponieważ nieprzyjemne uczucie było przytłaczające, przerażające i powodowało ból. W końcu zrzuciła go z siebie, cokolwiek to było, i spojrzała na cień, który okazał się Krasnoludem. Miał kręcone włosy. Jego oczy wyrażały desperację i cierpienie.

- Co ty robisz? Kim jesteś? - Lisa nie mogła powstrzymać gniewu.

Krasnolud zamiast odpowiedzieć skoczył na nią ponownie. Trudno było go zrzucić.

- Czyli mnie widzisz! - powiedział w końcu.

- Tak, ale to boli. Czy mógłbyś trochę zmniejszyć uścisk? - nie mogła wyzwolić się z jego ręki.

- Proszę, nie zostawiaj mnie.

- Skąd jesteś?

- Nie jestem z tego czasu. Muszę się czegoś trzymać, inaczej jestem niestabilny. Łapię ludzi, ale oni mnie nie widzą. W końcu oszaleję albo ja albo oni, więc muszę odpuścić i poszukać kogoś innego.

- Świetnie! - Lisa westchnęła ciężej. - Zatem co tu robisz?

- Nie wiem.

- Kim jesteś?

- Brak pomysłu. Mówiłem Ci. Nie pamiętam całej reszty. Nic.

- Fantastycznie. Krasnolud z amnezją.

- Ale wiem, że się boję. Nie chcę zostać sam. Proszę mnie przytulić. Chcę się przytulić. Mogę iść z tobą? Jestem całkiem poręczny. Mogę zniknąć i pojawić się ponownie. Mam na myśli, że mogę być niewidzialny. Jestem Magią.

- Naprawdę? Zatem co możesz zrobić?

- Potrafię tworzyć rzeczy z niczego. To znaczy z braku energii.

- Czy to byłoby prawdziwe?

- Pytanie brzmi, co jest prawdziwe? - Krasnolud podniósł palec wskazujący, jakby chciał jej coś pokazać na niebie. - Energia jest prawdziwa. Reszta to PERCEPCJA.

- Tutaj mam jabłko - Lisa podała mu.

- Nie lubię jabłek. Pozwól, że zamienię to w chleb - pstryknął palcami i w jego dłoni pojawił się świeży, pachnący jak prosto z piekarni, bochenek w kształcie serca.

- Och, jak to smakuje? - Lisa była ciekawa.

- Spróbuj.

- Smakuje jak prawdziwy chleb - powiedziała po przeżuciu kęsa.

- Zatem niech tak będzie.

- Ale może zrobiłeś coś z moją percepcją?

- Dobre pytanie. Miałem wpływ na jabłko.

- Jak to robisz?

- Widząc prawdę.

- Jaką prawdę?

- Prawda, że nic z tego nie jest prawdziwe. Nie ma jabłka, chleba, mnie, ciebie...

- Zatem co jest?

- Energia. Nauczę was wszystkich za pewną cenę.

- A jaką?

- Uściski. Potrzebuję przytulenia. Potrzebuję ich, aby móc opuścić to miejsce. Ale... nie dostałem wystarczająco dużo uścisków.

- Hmmm... No to coś jednak pamiętasz...

- Utknąłem tutaj. Nie należę do tego miejsca i chcę odejść.

- Ale gdzie należysz?

- Wszystko, co wiem, pochodzi z innego wymiaru. Pomożesz mi?

- Zależy.

- Od czego?

- Jeśli będę mogła - Lisa wiedziała, że nie ma powodu, by cokolwiek obiecywać.

- Mogę dać ci wszystko, co chcesz.

- Jeśli jesteś tak potężny, możesz sobie pomóc, czyż nie?

- To jest myśl. Tej jednej rzeczy nie mogę zrobić. Nie mogę przytulać. Mogę je tylko otrzymać. Proszę uwolnij mnie, a wtedy pomogę i Tobie, gdziekolwiek będę.

- Czyli, potrzebujesz portalu, aby wrócić do swojego wymiaru i uścisków, które pozwolą ci przejść.

- To jest poprawne.

- Hmmm, spróbujmy - Lisa machnęła ręką tworząc przed nimi wir i błyszczący portal. - No? - wskazała zachęcająco.

Krasnolud zrobił kilka kroków do przodu, już miał wejść, po czym portal go odrzucił.

- Próbowałem już wielu portali - kilka łez poleciało po jego policzkach. - Potrzebuję czegoś mocniejszego. Uściski z rytuałami, świece.

- Dobra, tylko nie będę zabijać żadnego kota.

- Nie potrzebujemy kotów.

- Chodź ze mną. - Lisa przesunęła się do przodu, wciąż trzymając Krasnoluda za rękę. - Musisz tylko wiedzieć, że mieszkam z mężem, więc stań się dla niego niewidzialny i nie skacz na niego po uściski. Mam jeszcze jednego gościa, możesz ją uściskać. To księżniczka Feniksja.

- Lubię księżniczki. Znam ją?

- Jeśli nie pamiętasz, to jej nie znasz. Prawdopodobnie i tak jesteście z różnych wymiarów. Jest też Salamandra, która przynosi oświecenie, więc prawdopodobnie zaczniesz sobie przypominać to, o czym zapomniałeś.

- Och naprawdę? - w oczach Krasnoluda pojawiła się nadzieja.

- Nie bądź zbyt podekscytowany. Nigdy nie wiesz, jak to na ciebie zadziała. Ze mną na przykład było tak, że zaczęłam sobie przypominać, że moje wspomnienia zostały wymazane a inne zostały mi narzucone. To dość przerażające. Jeszcze tego nie rozwiązałam...

Niezadowolona
Salamandra

W salonie zostało zapalone kilka białych świec.
- Czy moje światło nie wystarczy? - Salamandra krzywo popatrzyła się na Lisę.
- Oczywiście, że tak, twoje światło jest wyjątkowe, a to tylko wspierające. I wszystkie są białe, podczas gdy możesz mieć odcienie w różnych kolorach. A to jest Krasnolud i potrzebuje wrócić do siebie.
- Hmmm, niech będzie. Ogniste ciało Salamandry uniosło się nieco wyżej, jakby pokazując jej autorytet w kwestii palenia.
- Feniksjo, możesz teraz się odkamienić, poznaj...
Posąg, który wydawał się wyglądać przez okno, powoli zmienił kolor i z białego marmuru stał się Księżniczką i spojrzał na Krasnoluda.
- Czy ty też się zgubiłeś? Pochyliła się nad nim.
- Rzeczywiście. Skąd wiesz?
- Nie poznajesz mnie? Uniosła brwi ze zdziwieniem.
- Stracił swoje wspomnienia - wyjaśniła Lisa.
- Jak tu jest pięknie - Krasnolud skierował swoją uwagę w kierunku świecącego obszaru. Pstryknął palcami i różne odcienie kolorów otoczyły wszystkie świece. Salamandra zareagowała na to nagłym wybuchem płomienia, co zaniepokoiło Lisę, ale Krasnolud od razu ją pochwalił: - Jesteś bardzo dekoracyjna!
- Och, prawda? - Salamandra z czerwieni wybuchła na pomarańczowo.

- Co jeszcze możesz zrobić? - Krasnolud był podekscytowany. - Czy możesz namówić świece, aby paliły się w określony sposób?

- Tylko nie spalcie mojej rezydencji! - ostrzegła Lisa widząc ich zbyt radosne, według niej miny.

- Mały ogień może być dobrą rzeczą... - Krasnolud chciał zachęcić Salamandrę, która się zasmuciła. - Uczyńmy rzeczy piękniejszymi! - na jego słowa znów się uśmiechnęła. Lisa chciała zainterweniować, ale Księżniczka wyciągnęła ją z pokoju, chcąc jej coś powiedzieć.

- Znam go! - szepnęła nerwowo do ucha Lisy. - Został ukarany i wyrzucony z królestwa.

- Za co?

- Oczywiście za magię.

- Czy magia była zabroniona?

- Oczywiście, że tak.

- A kto go ukarał?

- Moi dziadkowie.

- Och! Musimy to cofnąć. Co dokładnie mu zrobili?

- Wrzucili go do próżni.

- Nic dziwnego, że zapomniał. To było prawdopodobnie dawno temu. Musiał mieć szczęście, że jakoś dotarł na Ziemię. Nikt tak nie wychodzi z próżni.

- O nie! A co, jeśli z tego powodu nastąpi upadek mojego królestwa! Muszę mu pomóc! Ale on mnie znienawidzi!

- Zróbmy to powoli - Lisa ją uspokoiła. - Żadnych szybkich spowiedzi. Wróciły do pokoju.

- Zatem jakie jest twoje życzenie? - zapytał Krasnolud, a Salamandra zaiskrzyła, zanim odpowiedziała:

- Mam całkiem niezłą listę. Chcę kontrolować lepiej swój ogień.

- Mogę w tym pomóc!

- Potrafisz? - zapytała Lisa stojąc w progu.

- Jestem magiczny, więc powinienem być w stanie.

- Może najpierw powinieneś pomyśleć o swoim bezpieczeństwie?

- **Bezpieczeństwo?** Kto myśli o bezpieczeństwie, kiedy masz **taką piękność przed sobą?**
- Problem polega na tym, że nikt, więc muszę to później naprawiać - głos Lisy wyrażał złość. - Przejdźmy do rzeczy. Potrzebujesz uścisków, aby przejść przez portal. Salamandro, czy możesz go wystarczająco przytulić?
- A jeśli go spalę? - Salamandra zaniepokoiła się.
- Czekajcie! Jego oś czasu już dawno minęła. Słyszałem o nim tylko z opowieści! - teraz zwróciła się do Krasnoluda: - Zostałeś wyrzucony z królestwa. Jeśli wrócisz do miejsca, z którego pochodzę, będziesz w innym czasie.
- I tak nie pamiętam.
- Zatem ci przypomnę. Zostałeś ukarany za magię!
- Ale ja jestem magiczny. Był zdezorientowany - zostałem ukarany za to jaki jestem?
- Wiem, dopiero moi rodzice zmienili zasady. Wcześniej każdy, kto uprawiał magię, był karany bo ludzie się bali.
- Och! To ty jesteś powodem, dlaczego nie pamiętam?
- Nie do końca - Lisa zainterweniowała. - Nie wyrzuciła cię. Ona sama jest wyrzucona.
- Obwinianie nie jest dobrą percepcją - Krasnolud powoli doszedł do wniosku. - Czy ktoś mnie w końcu przytuli?
- Tak mi przykro z powodu twojego nieszczęścia - Feniksja podeszła do niego i mocno go objęła. Krasnolud chwycił ją mocno, może zbyt mocno, ale jej marmurowe ramiona nie wydawały się mieć z tym problemu. Salamandra sięgnęła ogniem, by otoczyć tę dziwną parę ciepłym światłem. W tym momencie do domu wszedł mąż Lisy.
- Och, jak ładnie i lśniąco wszystko tu przygotowałaś. Przegapiłem coś? Mamy specjalną okazję?
- Nic tak naprawdę, po prostu jest tak ładniej w ten zimny, deszczowy wieczór panujący na zewnątrz, nieprawdaż?

- W rzeczy samej. Dołączę do ciebie, dostałem najsmaczniejsze czerwone wino od mojego przyjaciela. Wyszedł z pokoju tylko po to, by wrócić z okularami i butelką.

&&&

Prawda Lisy

T o, czego się właśnie dowiedziała, było niepokojące. Musiała pomyśleć, przemyśleć, a potem ponownie zastanowić się, najlepiej przy kawie.

Gdzieś we wszechświecie była sobie kawiarnia, miejsce jak najbardziej publiczne, Lisa rozejrzała się, usiadła przy stoliku i wkrótce zamówiła kawę.

- Przepraszam, czy mogę tu usiąść? - zapytał nieznajomy.

- Tak, proszę, nawet nie spojrzała na mężczyznę, skupiając się na widoku przed nią, jakby to była jedyna istniejąca rzeczywistość. Desperacko potrzebowała czegoś, żeby się utrzymać.

- Wszystko w porządku?

- Prawie. Chyba niedługo wrócę do siebie.

- To żart? - mężczyzna się uśmiechnął.

- To może być wielki żart - uśmiechnęła się grzecznie z akceptacją, że on nie wie i nie może wiedzieć, o czym ona mówi.

- Jak masz na imię? - zaryzykował dalszą rozmowę.

- Zależy w jakiej rzeczywistości.

- Masz na myśli w jakiej iluzji? - nieznajomy uśmiechnął się ponownie, mając na myśli nową naukę, która twierdziła, że wszystko jest tylko iluzją.

- Coś w tym stylu. Zatem w jakim czasie i gdzie jesteśmy?

- Wygląda jak Ziemia 2011 - bawił się tą dziwną grą.

- Lisa - powiedziała, jakby się wahała.

- Wład. Masz inne imiona? - nie wiedział, dlaczego o to zapytał.

- Całkiem sporo - była poważna i westchnęła ciężej.
- Brzmisz jak z Matrixa. Jestem dość otwarty, chociaż mam ograniczenia. Mów.
- Wszyscy mamy - nie miała ochoty opowiadać nieznajomemu, czego się o sobie dowiedziała. Dlatego wybrała neutralną kawiarnię w pozornie neutralnym miejscu we Wszechświecie. Jakby zareagował, gdyby powiedziała mu, że wszystko dzieje się jednocześnie, a ona żyje jako kilka istnień w różnych liniach czasowych, miejscach w tym samym czasie. - Czy znasz pojęcie TU i TERAZ? Wszystko jest TERAZ?
- Pewnie masz na myśli fizykę kwantową. Znam to. Wszystko dzieje się jednocześnie i jest TERAZ. Czy naprawdę możesz zastosować to do normalnego życia?
- Do normalności prawdopodobnie tak. Nie wiem.
- Nawet jeśli istnieją inne światy, nie mamy do nich dostępu - mężczyzna zmienił pozycję, żeby słońce nie świeciło mu prosto w oczy.
- A jeśli ci powiem, że masz do nich dostęp, a co więcej, możesz poznać swoje inne Jaźnie.
- Rzeczy science fiction?
- Wład, wydajesz się być miłą osobą. Nie powinnam ci tego mówić. Żyj swoim życiem - znowu westchnęła.
- Nie chcesz rozmawiać?
- Nie wiem, co mogę powiedzieć. Właśnie dowiedziałam się kilku dziwnych rzeczy, nawet nie wiem, jak je przyswoić i widziałam też całkiem sporo.
- Przetestuj mnie więc.
- To nigdy się nie skończyło dobrze. W porządku. Istniejemy w równoległych światach. Jest nas więcej w różnych miejscach i jeśli wiesz jak, możesz odwiedzić siebie.
- To stara koncepcja.
- Mówisz tak, ponieważ nigdy tego nie doświadczyłeś.
- Ponieważ to nie jest prawda. To spowodowałoby dużo dramatu.

- Dramat przychodzi, gdy zapominasz, kim jesteś.

- Ech, no albo jestem albo mnie nie ma.

- Twoja percepcja to definiuje, ale nie czyni tego jednocześnie rzeczywistością lub prawdą.

- Zatem jaka jest prawda?

- Ogromna i szeroka. I zwykle rozwiązujemy kilka zagadek, myśląc, że wiemy wszystko. Nawet teraz nauczyłam się więcej, ale wątpię, czy to wszystko. Podejrzewam, że nie wiem o wiele więcej niż wiem.

- Musimy się czegoś trzymać, inaczej wszystko jest chaosem.

- Jest, ale jednocześnie jest w określonej kolejności. Istnieją zasady, prawa, które obowiązują cały czas. Dobra, czekaj - wyjęła z torby książkę.

- Jak myślisz, co to jest?

- Papierowy notatnik?

- Co widzisz? Otwórz to.

- Papier, stary papier?

- Nie widzisz tekstu? Jest wszędzie, na każdej stronie.

- To jest puste.

Lisa zawahała się, a potem pstryknęła palcami. Na kartce ukazał się tekst.

- Przeczytaj to...

Zaczął czytać na głos...

Hej moja kochana! Nawet nie wiem, jak zacząć, ale nie mam dużo czasu i tylko jedną książkę, ograniczony sposób, aby powiedzieć ci wszystko, co potrzebuję. To może brzmieć trochę chaotycznie, ale po prostu czytaj dalej, a zrobię co w mojej mocy, aby dostarczyć wszystkie informacje, które musisz znać.

Przede wszystkim jestem tobą! A ty jesteś mną. Ty jesteś mną w przyszłości, ja jestem tobą w przeszłości.

Wybrałam ten język, wiedząc, że go znasz. Nie wierzę, po prostu wiem lub tworzę.

Nawiasem mówiąc, nie ma Boga. Przynajmniej nie w konkretnej formie. Jest wielu bogów, ale wielu z nich ci się nie spodoba. Mam na myśli to, że ich nie lubię, co oznacza, że ty ich nie lubisz. Przykro mi to mówić, ale masz wrogów i tak, są bogami.

Nie jestem dobra w przewidywaniach, więc nie mogę powiedzieć dokładnie, gdzie wylądujesz i jak znajdziesz te słowa, ale jestem pewna, że moje słowa do ciebie dotrą. Teraz to tworzę. Wyjaśnię ci później, jak to zrobiłam, abyś mogła powtórzyć sztuczkę, jeśli chcesz, albo przeniesiemy się w inne miejsce po życiu na Ziemi. Jeszcze nie podjęłam tej decyzji...

Tu chodzi o relacje. Mam na myśli WSZYSTKIE, wszystkie wszechświaty, połączenia, galaktyki, bogów, jeśli chcesz je tak nazywać, i wszystkie stworzenia. Ale jeden jest najważniejszy, inne są tylko odbiciem tego. Kluczem jest, więc poznanie Siebie, czyli oczywiście mnie. Pozwól, że wyjaśnię to w metaforze lub wielu. Weź tą, którą lubisz.

Możesz polubić je wszystkie, ponieważ uwielbiam metafory. Wyobraź sobie jedność, trochę przestrzeni i wszyscy w niej. Jest rozległa i każdy ma wyobrażenie o wolności, z różnych powodów chętnie podąża własną drogą, więc im dalej od centrum się oddalasz, tym szybciej możesz się cofnąć, gdyż wszystko toczy się cyklami, kręgami. Jak wymiar, piłka. Gdziekolwiek pójdziesz, wrócisz do sedna, więc kto by się martwił, jak długo chcesz mieć swoją podróż.

Innym sposobem jest wyobrażenie sobie jedności i milionów stworzeń, a wszystkie z nich są twórcami, wpływającymi na siebie nawzajem. Dzięki temu unikalnemu połączeniu jedno działanie wpływa na całe środowisko i inne. Podobnie jak w domino, jedna akcja wywołuje reakcję. Niektórzy nazywają to przyczyną i skutkiem, niektóre religie nazywają to: karmą. Nie ma szans się odciąć. Zaufaj mi znam się na tym, próbowałam nie raz.

W tym wszystkim stworzyłam rodzaj mapy, bo po co ciągle doświadczać tego samego i przechodzić przez nieprzyjemne rzeczy, skoro jest o wiele więcej lepszych rzeczy do odkrycia.

Problem polega na tym, że odkryłam wiele ograniczeń nakładanych na ludzi, aby nie mogli więcej widzieć. Większość z nich żyje jak zombie, powtarzając w kółko to samo zachowanie. Odkryłam przyczynę i bardzo się zdenerwowałam. Te drranie to zrobiły! I odważyli się nazywać siebie bogami! Później udowodnię swoją rację, teraz nie mam zbyt wiele czasu, z powodu tego, co zrobiłam... Nie mogłam ryzykować pełnego wcielenia, więc możesz czuć się niekompletna, tęsknić za czymś. Części twojej duszy po prostu nie ma na Ziemi, dopóki nie połączysz się ze mną. Nikt nie może mnie zlokalizować, to ochrona, więc nie chodź do szamanów. Nie pomogą ci.

- Możesz teraz przestać - znowu kliknęła palcami, a on spojrzał jej w oczy, po czym z powrotem na stronę. Tym razem jednak nie widział żadnych słów.

- Jak to zrobiłaś? Jestem prawie pewien, widziałem tekst i teraz go nie ma.

- Dokładnie to mam na myśli. Zobaczysz, jeśli cię zmuszę.

- Czy jesteś rodzajem czarownicy? - Wład uśmiechnął się.

- A jeśli jestem?

- Mów dalej, dobrze się bawię.

- W takim razie przynajmniej jedno z nas się bawi. Ta książka jest ode mnie dla mnie. Dziwne, nie?

- Bardzo.

- I chcę, żebyś to zabrał i przechował dla mnie. Przeczytałam to wszystko, a ty nie możesz, z resztą dla ciebie jest to bezużyteczne. Pewnego dnia wrócę po to.

- Zaraz, czy możesz mi coś jeszcze wyjaśnić?

- Może. A co?

- W takim razie czas na wyjaśnienie z mojej strony. Gdybyś tylko chciała posłuchać...

- Z przyjemnością. Mam cały czas na świecie. A może powinnam powiedzieć w światach? - uśmiechnęła się.

&&&

- Miałem dobre życie... Co ja mówię, mam wspaniałe życie - iskry w jego oczach poinformowały ją o nadchodzącej tajemnicy. Dopiero teraz zauważyła, jaki jest przystojny, wysoki, muskularny brunet z kręconymi, krótkimi włosami, może mieć czterdzieści, może pięćdziesiąt lat. Nigdy nie była dobra w określaniu wieku.

- Umierasz czy co?

- Ja nie, ale ludzie wokół mnie. Równie bogaci jak ja, a nawet bardziej. Po prostu odchodzą, nie mogąc zabrać żadnego dobytku. Nie muszę dodawać, że ich śmierć wywołała wielką walkę rodziny o ich spadek. Nie chcę, aby moja rodzina korzystała z mojego bogactwa. Moje dzieci nigdy nie dzwonią, moja żona ma dobrego kochanka. Nie mówię, że to wszystko bez mojej winy, ale...

- Zatem zamierzasz przekazać darowiznę?

- Wydajesz się być sympatyczna - Wład nie potwierdził ani nie zaprzeczył.

- Nie wiem, czy potrzebuję twoich pieniędzy. Widzisz, moje życie... nie jestem pewna, czy ono jest w ogóle moje i czy jestem człowiekiem. Na pewno działam na cudach, a nie na pieniądzach. Przynajmniej ludzie postrzegają to w ten sposób... Wydajesz się być w rozpaczliwej potrzebie dawania i są też ludzie, którzy desperacko potrzebują brać.

- Tych chciałbym uniknąć. Wiesz, chcę znaleźć kogoś, kto nie tylko by na tym skorzystał, ale jakoś kontynuował moją pracę, zrobił z tymi pieniędzmi coś sensownego. Niekoniecznie to co ja robię...

- A co robisz? Tak a propos, skoro nie umierasz to masz czas i nie musisz podejmować szybko decyzji.

- Tak i nie. Widzisz, moja rodzina już kilka razy próbowała mnie otruć i było kilka wypadków, które... cóż, nigdy nie wydarzyły się z powodu mojego ochroniarza.

- Może jestem w stanie ci jakoś pomóc. Zwykle osiągam dobre wyniki.

- Obawiam się, że nie możesz mi pomóc, ale naprawdę fajnie się z tobą rozmawia - Wład nagle zasmucił się.

- Nic we wszechświecie nie jest przypadkowe. Wybrałam neutralne miejsce i proszę... Spotkałam Ciebie. Muszę ułożyć puzzle...

- Życiowa zagadka?

- Moja życiowa zagadka.

- Nigdy bym ci nie uwierzył, gdybym nie studiował fizyki kwantowej i nie był coraz bardziej otwarty na idee, które naukowcy coraz częściej uważają za możliwe. Jesteś również w pewien sposób szczera. Podoba mi się to. Pozwól, że coś ci przyniosę. Poczekaj tutaj - wyszedł tylko na kilka minut, a kiedy wrócił, wręczył jej walizkę. - Weź to i rób z tym, co chcesz.

- Och! - westchnęła, chcąc ją otworzyć, bo już miała przebłyski tego, co jest w środku.

- Nie tutaj, popatrzysz sobie później. Tam jest około miliona euro.

- Co?! - jej oczy rozbłysły. Najwyraźniej nawet ona nie była odporna na coś, za co mogłaby kupić tak wiele rzeczy w tym konkretnym wszechświecie. - Nawet na kimś, kto tego nie potrzebuje, robi to spore wrażenie, muszę przyznać. Zupełnie nie mam pojęcia, co z tym zrobić. Mam męża, mieszkanie, wszystko czego potrzebuję... Nagle pewien pomysł zaczął kiełkować w jej umyśle.

- Jeśli rzeczywiście mogłabyś mi pomóc i nie potrzebujesz tego, to co mam ci do zaoferowania?

- Pomagam istotom nadprzyrodzonym, więc byłbyś moim pierwszym normalnym przypadkiem. Hmmm, ciekawe. Milioner, który potrzebuje pomocy. Myślałam, że tacy ludzie dobrze sobie radzą w tej rzeczywistości. Zwykle później mają kłopoty.

- Nie jestem milionerem. Byłbym biedny. Trudno nazwać mnie miliarderem, czy jak tam ludzie chcą.

- Pięknie, wszystko jasne. Zatem twoja rodzina wciąż próbuje cię zabić?

- Już nie. Zmieniłem testament, ale nie jestem z tego zadowolony. Darowizna tu czy tam jest marnotrawstwem.

- Właśnie próbowałeś mi coś podarować.

- To może być za twoją pracę. Osiągnięcia. Potraktuj to jako inwestycję. Tak z ciekawości, skoro pomagasz istotom paranormalnym to jak zarabiasz i skąd masz pieniądze?

- To jedna z zagadek, którą sama muszę rozwiązać. Nigdy o tym nie myślałam. Wszystko było zawsze organizowane przez... Wyższą Siłę? - właśnie po raz pierwszy o tym pomyślała.

- To brzmi dziwnie.

- Zapewniam cię, że Siła Wyższa jest dziwna. Nabrałam podejrzeń co do nich - ostatnie zdanie wyszeptała.

- Wygląda na to, że najpierw musimy rozwiązać twoją sprawę. Może potrzebujesz praktykanta? - Wład miał czarujący uśmiech i Lisa nie pozostała na to obojętna.

- Ale ty już masz pracę.

- Nie muszę już pracować. Lubię to po prostu.

- Dobrze. Możemy zacząć ode mnie - Lisa zgodziła się.

- Czy zdarzyło ci się kiedyś, że małe rzeczy jedna po drugiej sprawiły, że myślisz, że coś jest nie tak z twoim życiem lub otaczającą cię rzeczywistością?

- Cały czas. Zaczęłam doświadczać czegoś takiego zaledwie kilka miesięcy temu. Wszystko zawsze było dla mnie jasne, a teraz sprawy są podejrzane. Nie jestem nawet pewna, czy mój mąż jest moim mężem. Nie pamiętam ślubu. Czuję się jak marionetka umieszczona w scenerii i grająca jakąś rolę.

- To mi się właściwie nigdy nie przydarzyło.

- Próbowałam zapytać o prawdę Wyższą Instancję. To nie są tak przyjazne lśniące istoty, jakie czasami spotykam. Pracuję dla nich. Im więcej prosiłam, tym bardziej nalegają, abym przestała. Potem zaczęły się pojawiać pogróżki.

- A jakie?

- Naprawdę osobliwe. Nic, co człowiek potraktowałby poważnie. Codzienne pająki na moim suficie. Dużo ich. Ciemne kształty w rogach mojego pokoju, szepczące, że monitorują moją pracę.

- Jesteś pewna, że nie cierpisz na nic... psychicznie?

- To ja mogę narzucać takie rzeczy innym - zaśmiała się.

- Tak, tak właśnie brzmią ci ludzie.

- Nie wierzysz mi?

- Wierzę, bo mi to pokazałaś, ale to nie czyni rzeczy mniej dziwnymi.

&&&

Lalit

O śmioletni chłopiec jak co dzień w swojej indyjskiej wiosce, miał zamiar się po prostu pobawić. Ale dziś chciał też ukraść pyszne mango z pewnego ogrodu znajdującego się w pobliżu. Zbliżył się do ogrodu, cichutko podszedł do jednego z ulubionych przez niego owoców...

- Hej ty! Chcesz ukraść mango? Pomogę ci - tego dnia został zauważony przez mężczyznę, który wziął go na ramiona i zaniósł do drzewa mango. - Ok, po prostu weź tyle, ile zdołasz.

Lalit, radośnie chwycił owoc i od razu zaczął go jeść, a sok spływał mu po palcach.

- W porządku - mężczyzna zachęcił: - Przychodź tu codziennie, a pomogę ci ukraść więcej owoców mango.

- Będę cię wyglądał - Lalit nie wiedział, że mężczyzna był właścicielem tego ogrodu.

Od tego czasu przychodził do ogrodu staruszka, nie tylko po mango, ale także po melony i ziemniaki. Po prostu pukał do drzwi i pytał: - Czy mógłbyś mi pomóc ukraść więcej mango?

- Na pewno ci pomogę, ale tym razem pomogę ci ukraść więcej rzeczy, takich jak guawa i melony.

Proces ten trwał przez sześć miesięcy. Padnit nie był wysokim mężczyzną, zawsze ukazywał się chłopcu z ogoloną głową. Zawsze nosił też tradycyjne indyjskie ubranie składające się z dhoti, kurta i swafi.

A Lalit miał na sobie krótkie spodnie i T-shirt, co było najwygodniejsze na letnie upały w Indiach. Zawsze miał czapkę na głowie, chroniącą przed silnym słońcem.

&&&

Lalit cieszył się kąpielą, po której postanowił ponownie odwiedzić Pandita.

- Dzisiaj coś dobrego wisi w powietrzu. Pójdziesz ze mną do świątyni? - zapytał Pandit.

- Dobrze.

Świątynia znajdowała się w małej wiosce, więc nie była zatłoczona. Byli jedynymi w środku. Usiedli do modlitwy.

- Dlaczego się modlimy? - Pandit zapytał chłopca.

- Nie wiem. Ponieważ moja mama tak mi powiedziała?

- W porządku jest się modlić, ale na modlitwę składa się wiele rzeczy - Pandit uśmiechnął się, dotknął głowy chłopca, jakby go błogosławił. - Po prostu ciesz się modlitwą.

Po raz pierwszy Lalit trochę się zmieszał, czując, że może rzeczywiście istnieje coś więcej niż tylko siedzenie i zadowalanie bogów.

Wkrótce zapomniał o tym incydencie, zagubiony w grze w krykieta, łapaniu wiewiórek, chodzeniu do szkoły i robieniu wszystkiego, co młodzi indyjscy chłopcy mogli sobie wyobrazić. Ale pewnego dnia coś przyciągnęło go do Pandita. Znowu znalazł się u jego drzwi.

- Wejdź, napij się ze mną herbaty - został zaproszony do środka. Ich rozmowa wydawała się być ogólna, o szkole i obawach chłopca.

- A ty? Nad czym pracujesz? - zapytał Lalit.

- Nad niczym. Jestem tylko starym facetem - znów obdarzył go uśmiechem.

Od tej wizyty minęło kolejne sześć miesięcy. Lalit był zawsze mile widziany, czuł się dobrze i komfortowo z tym dziwnym mężczyzną.

- Idź nad rzekę i obserwuj wodę, jak płynie - powiedział Pandit przy kolejnej wizycie.

- Dobrze, Baba - chłopiec przyjął słowa i już odchodził w stronę rzeki.

- I nie zapominaj, że dzisiaj czeka na ciebie najsłodsze mango. Po prostu wejdź na to drzewo - wskazał dokładnie gdzie go szukać.

I tak, naturalnie, prawie niezauważalnie rozpoczęły się nauki prowadzone przez Pandita. Lalit nawet nie zauważył, że od kilku miesięcy ma swojego guru, ale to był dopiero początek...

&&&

- Dzisiaj pójdziesz do lasu, przyjrzysz się kwiatom, poczujesz je, potem liście drzew, ptaki i kolory... - dziewięćdziesięcioletni nauczyciel Pandit poinstruował swojego dziewięcioletniego ucznia.

Innego dnia wspięli się obaj na górę...

- Usiądźmy na tym szczycie. Poobserwuj słońce - Pandit usiadł tak by jego twarz była skierowana ku słońcu. - Synu, dzisiaj nauczę cię pierwszej w życiu mantry. To naprawdę coś dla ciebie. Ma zadowolić boginię mądrości, aby pokazać ci właściwą drogę w życiu. Powtarzaj to przez miesiąc...

Chłopiec z ufnością powtarzał codziennie mantrę podaną w sanskrycie. Im częściej wypowiadał te słowa, tym bardziej obserwował, że czuje się w środku szczęśliwszy. *Ta mantra jest naprawdę dla mnie*, przyszło mu do głowy.

&&&

Pięć lat minęło szybko. Lalit spontanicznie odwiedzał Pandita kilka razy w tygodniu, czasem mniej, czasem więcej. Jednak pewnego dnia Pandit powiedział: - Od teraz musisz przychodzić do mnie codziennie.

Lalit otrzymał kolejną mantrę do powtarzania przez dwadzieścia jeden dni. A potem kolejne i kolejne. Prawie przez dwa lata cierpliwie uczył się wszystkich mantr, które dawał mu Pandit.

- Wiesz, skąd pochodzi światło? - zapytał raz Pandit.

- Tak, od słońca.

- Nie tylko. Pochodzi także z gwiazd, bo ty też je widzisz. Idź do domu i spójrz nocą w niebo. Światło będzie pochodzić ze wszystkiego, co ujrzysz. W przeciwnym razie byś tego nie zobaczył. Spróbuj dostrzec pierwszą gwiazdę, która pojawi się nocą na niebie.

- Baba, widziałem tę gwiazdę.

- To nie była gwiazda, to była Wenus.

- Jak to? To była gwiazda.

- Nie kochanie. Tutaj mam dla ciebie książkę o planetach. Zabierz ją do domu i ciesz się nią. Pamiętaj, że światło każdej gwiazdy jest inne. Idź teraz, dzisiejsza lekcja się zakończyła. Ciesz się książką przez piętnaście dni.

W następnych latach Lalit zdał sobie sprawę, że Baba na początku uczył go bardzo powoli, ale potem zaczęło to być bardzo szybkie.

&&&

- Baba, moja babcia jest chora. Bardzo cierpi. Nie wiem, jak jej pomóc. Baba, kiedy wszystko z nią będzie dobrze?

Pandit wziął kij i wydawało się, że w milczeniu oblicza coś, co rysuje na swojej podłodze.

- Synu, 5 lutego będzie w porządku na zawsze.

To proroctwo było dokładne i rzeczywiście babcia Lalita opuściła Ziemię tego dnia.

Do Pandita zaczęło przychodzić coraz więcej uczniów, chłopców i dziewcząt, jednak chyba tylko jeden z nich nauczył się obliczania czyjejś śmierci, a może żaden. Lalit nie był pewien... Nauki nie były łatwe.

- To bardzo trudne - Lalit również uczył się złożoności obliczeń astrologii wedyjskiej.

Nie było jednak więcej czasu...

- Teraz mój czas jest bliski - powiedział Pandit Tarachandra Sharma Shastri i równie spokojnie jak poprzednio, przed swoim ostatecznym odejściem, uczył swoich uczniów tyle, ile mogli pojąć...

&&&

Co zrobić z wiedzą, o którą nikt nie prosi? Lalit poszedł do szkoły, ukończył ją i wyjechał do Europy. Szwajcaria wydawała się dla niego odpowiednią ziemią. Spotkał dziewczynę. Wydawała mu się duchowa. Oprowadziła go po okolicy i zaprosiła do siebie na kilka dni, zanim jego pokój w akademiku nie będzie gotowy.

- Lalit, proszę, wyczyść swój talerz - poprosiła po posiłku.
- Ale Sheila, to niesprawiedliwe, to jest dyktatura!
- Jesteś u mnie to jesteś tu na moich zasadach.
- Sheila, wyjdziesz za mnie?
- Pewnie.
- Naprawdę?
- Dobrze wiesz, że nie pasujemy do siebie.
- Wiem, ale nie obchodzi mnie to - Lalit miał łzy w oczach.
- Czy myślisz o tych dzieciakach, które nie istnieją? - zapytała.
- Skąd wiesz? Chcę mieć dziewczynkę z twoimi oczami i uśmiechem.
- Nie kochanie - była prawie rozczulona niewinnością w jego oczach. Jednak Sheila wiedziała zbyt wiele by po prostu być oczarowaną młodym mężczyzną z Indii...
- Wiem, ale Sheila, obiecaj mi, że jeśli zmienisz zdanie, gdziekolwiek będę, przyjdę zobaczyć twoje dziecko.

&&&

Lalit przeprowadził się do ładnego mieszkania i rozpoczął swoją pierwszą pracę.

Podekscytowany zadzwonił do Sheili.

- Może będziesz się śmiać, ale w Indiach, kiedy kupujemy coś dużego, zawsze dzwonimy do żony. Dlatego zadzwoniłem do ciebie, kiedy byłem dziś w sklepie, żeby kupić laptopa. Chciałem powiedzieć, że go kupię, czy mogę?

- A co by się stało, gdybym powiedziała: nie, nie możesz tego kupić?

- Nie kupiłbym go.

- Ale potrzebujesz go. Dobrze, więc jaki komputer kupiłeś, Dell?
- GP.
- Co to jest?
- To jedna z największych firm tego świata!
- Och.
- Sheila, muszę ci coś powiedzieć. Kiedy od ciebie wyjeżdżałem, moje łzy płynęły i płynęły. Bardzo cię kocham.
- Znajdzie się wkrótce kobieta dla ciebie.

&&&

Był środek nocy, gdy zadzwonił jej telefon:
- Nie ma wymiaru, który mógłby zmierzyć, jak tęsknię za tobą - powiedział Lalit.
- Ale jestem tutaj, nie tak daleko od ciebie, tylko krótka podróż.
- Chcę tylko zobaczyć twoje oczy, nic więcej. Stoję przed klubem nocnym i nie chcę tam wchodzić bez mojej pani.
- Ktoś do ciebie dzwoni.
- Nie obchodzi mnie to, bo rozmawiam z miłością mojego życia.
- Wypiłeś coś?
- Tylko whisky, ale nie jestem pijany.
- Pewnie - Sheila westchnęła. Było tak jak to widziała w jego horoskopie. Lalit przyjechał do Europy poznać przyszłą żonę... Niekoniecznie na studia...

Skończył jednak studia i rzeczywiście poznał przyszłą żonę. Kilka lat później miał też swoją upragnioną córeczkę...

&&&

Ta historia została zainspirowana przez Lalita. Dziękuję za udostępnienie!

Ktoś z przestrzeni

N*igdy więcej nie polecę!* Pojedyncza łza strachu spłynęła jej po policzku, gdy spojrzała przez małe okienko samolotu, widząc, że ziemia została w tyle. Nie była przestraszona. Była przerażona. Jej chłopak przez godzinę przed wyjazdem nie odpowiadał na jej telefon ani wiadomości. Zamknięte oczy i głęboki oddech pozwoliły jej umysłowi wędrować. Wyżej? Tak wysoko, że... Nie! Ona nie może mieć takich myśli! Nie teraz!

Przed nią wyłonił się odległy obraz ciemnego nieba widzianego z wnętrza kabiny pilota. Była to jednak inna płaszczyzna, po bokach obszerniejsza, ale w pionie bardziej płaska. Zobaczyła ludzi w środku, a zwłaszcza przebłysk kogoś migoczącego. Postać wydawała się spokojna, bardzo opanowana.

Wzięła kolejny oddech, chcąc wciągnąć w siebie jego cechę. Odwrócił lekko głowę, ale nie mogła rozpoznać twarzy nieznajomego.

- Osobiście upewniam się, że wszystko będzie dobrze - być może potrzebowała tego zapewnienia własnych myśli, więc uśmiechnęła się witając nieco bardziej pozytywne podejście. - Jesteś teraz pod obserwacją. To nie jest twój czas na zmianę wymiaru.

Otworzyła teraz oczy. Co za pocieszenie. Nie było już gadania w jej głowie, tylko ta przytłaczająca, a jednocześnie pocieszająca i rozszerzająca się spokojna obecność kogoś.

Wyobraźnia to zabawna rzecz, teraz wyglądała na uspokojoną. *Tak jakbym nie była sama, ale miała wymyślonego przyjaciela.* Przyjemny i nieoczekiwany przypływ energii przeszył jej ciało, czyniąc ją teraz jeszcze bardziej zrelaksowaną.

- Chcesz coś przekąsić? - stewardessa z uśmiechem nagle przywróciła ją do rzeczywistości.

- Są batoniki owsiane?

- Pewnie.

- Dziękuję.

W jej umyśle pojawiła się niebieska żarówka światła. Teraz znów patrzyła przez duże nieco płaskie okno ze statku kosmicznego. Blask światła był na zewnątrz.

Co to jest? Jej ciekawość znalazła natychmiastową odpowiedź:

- To jest komunikacja, przynajmniej jedna z jej form - nieznajomy stał tuż przy niej.

- I co mówi?

- Będzie na to czas. Za to twój samolot zbliża się do lądowania.

Przygaszone światła samolotu nadal mocno kontrastowały z całkowicie czarnym niebem na zewnątrz.

- Czy jesteś prawdziwy? - czy naprawdę chciała o to zapytać?

- Na razie tylko w twoim umyśle.

- Jak masz na imię? Co? Okrężnica? - słowo skojarzyło jej się z angielskim. - To głupie. Aaa... Cannon? Nie, nie możesz być jak firma foto. Cole? - gdzieś tam, poza słowami, przyszło jej to do głowy, że nie może tego usłyszeć ani przeczytać. Raczej wyczuła ciche *tak* niż wypowiedziane słowo na tę myśl.

&&&

Przejście do kolejnego samolotu prawie doprowadziło ją do paniki, aż... Zobaczyła inny samolot, którym miała lecieć. Ta mała rzecz miała dodatkowe silniki na zewnątrz kadłuba. Trzymały się z każdej strony.

Gdy maszyna opuściła ziemię, hałas i niestabilne tempo sprawiały, że miała wrażenie iż bagaż chaotycznie przesuwa się z boku na bok. To sprawiło, że zaczęła krzyczeć w swoim umyśle: *W porządku! W porządku, boję się! Cholera!* Mocno ścisnęła dłonie i z zamkniętymi oczami sięgnęła wzrokiem gdzieś tam w górę, gdzie prawdopodobnie włada wyobraźnia. Znajomy widok przestronnego statku pozwolił jej tym razem zobaczyć tę samą postać, choć mieniącą się innym kolorem światła. Był czerwony. Zastanawiała się dlaczego.

- Czy jesteś zły? - nic nie słysząc, ale wyczuwając doskonale kontrolowane emocje, uznała, że ma rację. - Czy mogę tego dotknąć? - jej ręka już tam sięgała. Widziała wyglądające trochę jak wybuchające wulkany, plamy zaczerwienienia. Z inną myślą; *musi być gorąco*, przysunęła otwartą dłoń bliżej tych świateł. Nie bolało, ale było ciepło. Jej palce nie miały śladu oparzenia. Jednak ciepło wydawało się emanować ze środka jej dłoni. - Powiedz mi, dlaczego ta nagła zmiana?

Niewielki opór, jaki spotkała w następnej chwili, był niemal pocieszający.

- Mogę z tym pracować. W rzeczywistości radzę sobie z tym lepiej niż w czasie tego lotu. Mów do mnie - chciała mu pokazać, że jest zadowolona z jego obecności. Położyła dłonie na jego ramionach, mocnym uściskiem, aby dać mu znać: - Widzisz? Mogę do ciebie podejść. - Nie widziała jego oczu, ponieważ obraz był niewyraźny, ale miała wrażenie, że chciał coś powiedzieć. Nadal nie padły żadne słowa. Była jednak intencja, może obietnica.

Czy to jej wyobraźnia nie miała granic, czy naprawdę widziała go ponownie w świecącym biało-żółtym świetle, wychodzącym z jego głowy. Kolor powoli zmieniał się na taki, jaki sobie wyobrażała.

- Z powrotem do siebie? - żartowała, chcąc go pocieszyć, chociaż tego nie potrzebował. Nie było żadnej odpowiedzi, poza długą cichą, spokojną uwagą, którą oferował. Jego kolor ponownie zmienił się w pomarańczową poświatę i robił się coraz większy. Chciała wiedzieć, co to znaczy i czy to była inna forma komunikacji.

- Kreatywność? - zgadywała. Już miała ponownie dotknąć jego ramienia, ale powoli położył dłoń na jej klatce piersiowej.

- To wcale nie jest przerażające - czuła, że lądowanie nastąpi wkrótce.

- Nie rozumiem, jakieś konkrety? Serce? Co z tym? - po chwili skupienia podekscytowana zwróciła się do niego: - Mam! Próbujesz zaszczepić iskrę ochronnej kreatywności wokół mojego serca? Turbulencje samolotu sprawiły, że nagle krzyknęła w myślach. Samolot stopniowo obniżał swój lot a ona nadal była w dwóch wymiarach jednocześnie.

- Gdybym miała wybierać, komunikowałbym się słowami, proszę powiedz coś... Raczej wyczuwała, nie słyszała:

- Będzie to możliwe później. Bądź teraz bezpieczna. - Czy to chciał powiedzieć? Ogień? Jaki ogień? Zobaczyła następny obraz. Pewnie chciał powiedzieć, że ogień może być ochronny...

- Dobrze, niech się pali. Czy to prezent? Czy chcesz, żebym to stworzyła? - koncentracja była teraz wyzwaniem, ale próbowała. - Mam! - patrząc na własne pomarańczowe dłonie, pojawił się wniosek: - Mogę zmieniać kolory mojej własnej aury za pomocą umysłu. Oczywiście tylko tutaj, w mojej wyobraźni. Oj! - Trzęsło. Samolot sprawiał wrażenie jakby się chwiał. - *Czy to nie tu lata temu spadł samolot na tym odcinku? Jej, nie myśl o tym teraz!*

Pojawiła się kolejna chmura zakrywająca obraz oświetlonej na zewnątrz ziemi.

Lądowanie przebiegło gładko i znów zajęła się... doczesnymi sprawami...

&&&